우리 시대의 새 생각
. . . .

도올 김용옥이 말하는

老子와 21세기[2]

통 나 무

목 차

中 序

老子는 읽어야 할 책이 아니다.
老子는 느껴야 할 삶이다.
너무도 많은 이 조선땅의 동포들이
내가 쓴 책을 읽고
또 내가 하는 강의를 들어 주었다.
老子는 우리 지성사의 한 혁명이다.
세기의 한 획이요,
민중의 갈망이다.
여기 일곱째 가름부터
스물넷째 가름까지를 담는다.
이 다음은 또
다른 이름으로 계속 이어질 것이다.

일천구백구십구년 십이월 이십삼일
무정재에서
도올

老子道德經上篇

七章

天長地久,
천장지구,

天地所以能長且久者,
천지소이능장차구자,

以其不自生,
이기부자생,

故能長生。
고능장생。

是以聖人後其身而身先,
시이성인후기신이신선,

外其身而身存。
외기신이신존。

非以其無私邪?
비이기무사야?

故能成其私。
고능성기사。

일곱째 가름

하늘은 너르고
땅은 오래간다.
하늘과 땅이 너르고
또 오래갈 수 있는 것은,
자기를 고집하여 살고 있지 않기 때문이다.
그러므로 오래 살 수 있는 것이다.
그러하므로 성인은
그 몸을 뒤로 하기에
몸이 앞서고,
그 몸을 밖으로 던지기에
몸이 안으로 보존된다.
이것은 사사로움이 없기 때문이 아니겠는가?
그러므로 오히려
그 사사로움을 이루게 되는 것이니.

說老 "천장지구!"『노자』의 일곱째 가름은 이 말로 시작하고 있다. "천장지구!" 우리에게 퍽으나 낯익은 이름이다. 그러나 이것이 유덕화(劉德華, 리우 떠후아)가 나오는 홍콩 액션무비의 이름이라는 것은 알아도, 이것이 정확하게『노자』에 출전을 둔 심오한 철학적 개념이라는 것을 인지하는 사람은 드물다. 불량소년의 폭력적 삶과 사랑을 그리고 있는 이 영화제목의 이름은 분명『노자』제7장의 첫머리에서 따온 것이다. 이와 같이 고전이라는 것은 부지불식간에 우리의 삶속에 스며있다. 고전은 결코 우리의 삶을 떠날 수 없는 것이다. 그런데 왜 하필 불량배 유덕화와 청순한 오천련(吳倩蓮, 우 치엔리엔)의 사랑을 그린 이 영화제목이 "천장지구"인가? 주윤발의『영웅본색』이나 정우성의『비트』나 다 같은 주제의 영화들인데 여기엔 왜 이렇게 심오한 이름이 붙었을까?

나는 어떠한 경우에도 철학이 우리 삶의 문제를 떠날 수는 없다고 생각한다. 삶의 갖가지 양태가 저지르고 있는 문제들이 아무리 천박하게 보이는 것이라 할지라도 그 속에는 반드시 심오한 철학적 주제들이 도사리고 있다고 생각한다. 칸트의『순수이성비판』을 붙들고 고민하고 또 고민하던 문제들이, 어느 순간엔가 몽롱한 노래방에서 흘러나오는 유행가 가사 한 구절에서 해결되는 체험을 할 때도 있다. 철학이 나의 삶을 리드할 수는 없다. 나의 삶의 본연에서 우러나오는 나 자신의 생각들이 철학이라고 하는 사유체계를 리드하는 것이, 오히려 철학이 생성되는 정당한 과정일 것이다.

사실 진목승(陳木勝)감독이 붙인 이 "천장지구"라는 이름은 별로 심각한 의미부여가 없다. 보석상을 터는 과정에서 우연하게 피치못할 운명으로 맺어진 두 젊은 남녀의 사랑, 날카롭고 정의로운 인상을 주는 아화, 세상물정을 전혀 모르는 가냘프고 청순한 죠죠, 이 두 어린 생명들의 극적인 사랑의 순간이야말로 "천지처럼 장구하다," 즉 "영원하여라"라는 예찬의 율로지(eulogy)에 불과한 것이다. 피튀기는 칼싸움에서 태연하게 죽어가는 아화는 하늘에서의 영원(天長)을 희구했을 것이다. 그 순간 웨딩드레스 차림으로 천주교 성당앞에서 기도를 드리고 있는 죠죠는 이 땅에서의 영원(地久)을 갈구했을 것이다. 그러나 이들이 빌고있는 순간의 영원은 사실 가장 비노자적인 천장지구였다. 그러나 이러한 찰나적인 비극적 정조의 배면에 깔린, 인간이 동경하는 보편적 정서속에는 분명 하늘과 땅의 장구함이 배어있다.

꿈꿔왔던 청춘이
바람에 흩날리고,
자신도 모르게 얼굴엔
슬픔만이 가득찼네.
자연의 변화가
새 생명을 만든다지만,
처량한 비는
날 고독하게 만드네.

청춘의 아름다운
꽃들이 만발하는데,
슬픔의 그림자가
그대 얼굴에 드리워지네.
계절의 변화는
누구도 막을 수 없고,
자연의 은혜가 없었다면
생명이 없었을 거예요.
의리를 위해 피투성이가 된
이를 보라 !
사랑하는 연인이여
청춘은 죽음이 두렵지 않네.
청춘의 아름다운 꽃들이
만발하는데,
슬픔의 그림자가
그대 얼굴에 드리워지네.

"天長地久"라는 표현은 옛 한문의 레토릭 구사법의 한 전형을 이루는 스타일이다. "天地"와 같이 하나의 개념을 이루는 단어를 분리시켜 그 사이사이에 형용사를 삽입하는 것이다. "天地長久"를 "天長地久"라 한 것이다. 정확한 댓귀는 아니지만, 우리가 쓰는 "日就月將"같은 표현도 "日月로 就將한다"고 말해도 될 것을, 就와 將을 분리시켜 日과 月 사이사이에 끼어 넣는 것과 유사한 용법이다. 그런데 보통 천지코스몰로지에서 天은 시간을 나타내고 地는 공간을 나타내는 것으로 본다. 그런데 여기서 "長"은 앞의 2장에서 "長短相較"라는 표현이 말해주듯이 공간을 나타내는 말이다. 그래서 나는 그것을 "길다"라고 표현치 않고 "너르다"라는 역어를 썼다. 그에 비하면 "久"는 분명 지속을 나타내는 말로서 시간적 개념이다. "오래 간다"는 뜻이다. 그렇다면 분명 "天久地長"(하늘은 오래 가고 땅은 너르다)라 해야 옳다. 시간을 나타내는 하늘에는 시간적 형용사가 붙어야 하고, 공간을 나타내는 땅에는 공간적 형용사가 붙어야 마땅할 것이다.

天(하늘)=시간	久(구)=시간	天(시간) 長(공간)	
地(땅)=공간	長(장)=공간	地(공간) 久(시간)	道

　그러나 옛사람들은 "天久地長"이라 하지 않고 "天長地久"라

표현한 것이다. 왜 그랬을까? 여기 벌써 명백하게 천지코스몰로지적 사고에는 음양의 착종(錯綜)이라고 하는 음양론의 기본적 사유패턴이 개입되고 있음을 증명한다. 다시 말해서 "天久" "地長"이라고 하면 하늘이라는 시간과 땅이라는 공간이 실체적으로 유리되어 버린다는 것이다. 하늘은 하늘로서 하늘이 되는 것이 아니고, 땅은 땅으로서 땅이 되는 것이 아니다. 하늘은 땅이 있어야 존재할 수 있고, 땅은 하늘이 있어야 존재할 수 있다. 하늘 속엔 땅이 들어 있고, 땅속엔 하늘이 들어 있는 것이다. 따라서 하늘이라는 시간속엔 땅이라는 공간이 들어 있고, 땅이라는 공간속엔 하늘이라는 시간이 들어 있는 것이다. 아인슈타인이 시·공의 불가분을 상대론적으로 증명하기 이전에 이미 고대중국인들은 소박하게나마 시간과 공간은 분리되어 생각될 수 없는 것, 『주역』의 괘상모양으로 착종되어 있는 것이라고 생각했다. 모든 공간은 공간으로 독립되어 존재하는 것이 아니라 시간을 전제로 해서 존재한다는 것, 시간 역시 공간을 전제로 하지 않으면 성립할 수 없다는 것을 동양인들은 소박하게나마 인식하고 있었다. 어차피 시간이니 공간이니 하는 것은 객관적인 존재가 아니라 모두 인간의 인식의 측면인 것이다. 이러한 생각은 동양인들의 건축양식이나 회화등의 예술적 경지에도 잘 표현되어 있다.

그런데 노자는 여기서 왜 "天長地久"라는 말을 했을까? 나는 이 말은 매우 구체적인 세계관의 함의를 지닌다고 본다. 우리가 현재 상식적으로 알고 있는 천체물리학의 지식에 비추어 본다면, 고대 중국인들이 말한 天圓地方(하늘은 둥근 솥뚜껑과 같고 땅은 네모난 거대한 평지같은 모습)의 천지코스몰로지란, 우선 천동설을 모델로 한 것이며, 그것도 지구생명체를 중심으로 생각한 것일 뿐이다. 이것을 지동설적인 모델로 바꾸어 생각하면 실제로 이들이 말하는 天이란 대기권의 규모를 벗어나지 않는다. 地란 대기권에 둘러 싸여 있는 지구다. 물론 天의 개념속에는 태양을 비롯한 전 우주의 갤럭시들이 포섭되지만, 이들이 생각한 "천지"란 실제로 지구생명체의 작동에 필요한 에너지의 순환체계를 벗어나지 않는다.

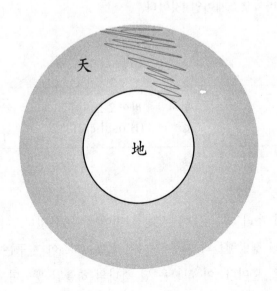

다시 말해서 "天長地久"란 우리 존재의 근원으로서 가장 長久(영원한)한 최종적인 근거는 天地일 수밖에 없다는 것을 말하고 있는 것이다. 나는 天地를 생각할 땐, 미생물학자며 세계적인 환경론자인 르네 드보(René Dubos)가 편집한 유엔보고서, "한 작은 혹성에 대한 관심과 관리"(The Care and Maintenance of a Small Planet)라는 소제가 붙은, 『단 하나뿐인 지구』(Only One Earth)라는 명저의 제목을 되새겨 보지 않을 수 없다. 사실 아주 소박하게 말하자면 동양인들이 말한 天地는 관념적인, 비그뱅으로부터 진화된 그런 거창한 시공계라기 보다는, 우리 이 지구라는 태양계의 한 혹성을 둘러싼 바이오스페어(Biosphere)를 가리키는 것이었다. 天 · 地 · 人 三才가 모두 하나의 바이오스페어인 것이다.

천지 = 바이오스페어
(天地)   (Biosphere)

그런데 우리 인간은 이 天地를 벗어날 수가 없다. 이 天地야말로 우리 생명체들의 최종적 근거일 뿐이다. 이 지구는 단 하나의 지구일 뿐이다. 이 하늘은 단 하나의 하늘일 뿐이며, 이 땅은 단 하나의 땅일 뿐이다. 이 땅과 하늘의 에너지를 다 고갈시켜 먹고 딴 곳으로 도망가면 된다고 생각하는 스페이스 커넥션 (space connection)의 망상을 우리는 하루속히 버려야 하는 것이다. 여기에 바로 우리가 21세기에 와서 어김없이 다시 『老子』를 배워야 하는 소이연이 있는 것이다.

天은 長하고 地는 久하다! 이것은 아화(유덕화)와 죠죠(오천련)의 사랑의 장구함을 말하는 것이 아니다. 아화와 죠죠의 사랑을 포함한 모든 사랑, 그러한 사랑을 잉태시키고 있는 모든 생명체의 공동체의식, 그 공동체의식의 근거로서의 長久한 天地를 노자는 말하고 있는 것이다. 요즈음과 같은 환경론적 불안감을 가지고 이야기한다면, 天地는 長久해야 하는 것이다. 그것은 자인(Sein)이 아닌 졸렌(Sollen)이 되어가고 있는 것이다. 사실이 아닌 당위가 되어가고 있는 것이다. 그러나 노자는 말한다. 모든 당위가 구극적으로는 사실이다. 天地는 長久해야 하는 것이 아니라, 長久하고, 또 長久할 수밖에 없는 것이다. 인간의 어떠한 장난도 天地앞에서 무기력한 것이다.

그렇다면, 天地는 어떻게 해서 長久할 수 있는가? 노자는 말한다. 天地가 長하고 또 久할 수 있는 것은(天地所以能長且久者), 바로 "不自生"하기 때문이다. 문법적인 설명을 좀 하자면 "其不自生" 앞에 있는 "以"라는 글자는 "… 때문이다"

(because)라고 새기면 된다.

 "自生"하면 "스스로 생한다"의 뜻이 됨으로 노자사상의 맥락
에서 좋은 뜻인 것처럼 보일 수도 있다. 그러나 여기서 "自生"
이란 그와 반대되는 뜻으로 "자기를 고집한다," 즉 "자기라는
동일성의 체계를 고집한다"는 뜻이다. "生而不有"가 아닌 "生
而有"의 "自生"이다. "生而不有"의 뜻이 되려면 "不自生"이
되어야 하는 것이다.

 이 노자 7장의 "自生"의 문제는 후대에 중국에 들어온 불교
철학에서 그대로 "自性"(svabhāva)의 문제로 둔갑되었다. 이
"自性"이란 존재하는 것들이 항상 자기 동일성과 고유성을 유
지한다는 것을 말하며, 그것은 독립적으로 고립하고 있는 실체
라는 의미를 동시에 지닌다. 소승불교 즉 부파(部派)불교의 대표
적인 학파인 설일체유부(說一切有部)에서는 매크로한 사물은 無
我일지라도, 그 사물을 구성하고 있는 마이크로한 法(dharma)
은 自性을 지니고 있다고 본다. 대승불교는 바로 그 법, 다르마
조차 無自性, 즉 자성이 없다 라고 비판하는데서 출발하는 이론
인 것이다. 어떠한 존재도 자기 동일성의 절대적 유지는 불가능
한 것이다. 그렇게 되면 존재의 궁극은 空으로 갈 수밖에 없다.
이것이 바로 대승불교이론인 것이다. 그런데 이러한 대승불교의
無自性의 이론이 이미 『노자』 7장의 "不自生"의 언어에 배태

되어 있었던 것이다.

노자는 말한다. 天地가 長久할 수 있는 것은 오로지 天地가 자기를 고집해서 生成하지 않기 때문이다. 스스로 그러한대로 자기를 맡길 뿐이다. 스스로 그러한대로 자기를 맡기는 것을, 왕필은 "天地任自然"이라고 표현한 것이다(『上』, 243쪽).

명(明)나라 때의 탁월한 고승이었던 감산대사(憨山 德淸, 1546~1623)는 이를 주해하여 "以其不自私其生, 故能長生。"이라 하였으니, 이것은 "천지는 그 삶을 이기적으로 사유하지 않기 때문에 능히 장생할 수 있는 것이다"라는 뜻이다.

가을이면 나무에서 낙엽이 떨어진다. 그러나 그 나무는 낙엽을 자기만을 위하여 사유(自私)하지는 않는다. 그냥 땅에 떨어져 굴러가는대로 내버려 둘뿐이다. 그러나 결국 그렇게 스스로 그러한 낙엽이 쌓여 다시 그 나무의 거름이 될 뿐이다. 그러나 인간은 자기만의 목적을 위하여 그 낙엽을 긁어간다. 이것도 정도껏 인간과 자연이 공유될 때는 큰 문제가 되지 않는다. 그러나 인간이 自私(자기만을 이롭게 함)의 목적을 위하여 남김없이 낙엽을 긁어가고, 그것도 모자라 나무를 베어가고, 또 그것도 모자라 땅까지 파 가버린다. 인간은 너무도 지나치게 天地라는 생태계의 에너지를 사유하여 자기만의 文明을 건설해온 것이다. 노자는 다시 말한다. 天地가 長久할 수 있는 것은 오로지 自私하지 않기 때문이다. 自私한 인간들이여 ! 어찌 天地처럼 長久하기를 바랄손가 !

그러면 우리 인간들은 이 지구상에서 장구하지 못하고 단멸(短滅)할 수밖에 없는가? 그럴 수 없다 ! 여기에 老子는 天地를 본받아 사는 聖人의 모습을 제시한다. 성인은 어떻게 하는가?

그러하므로 성인은 항상 그 몸을 뒤로 하기에(後其身) 오히려 그 몸이 앞서고(身先), 항상 그 몸을 밖으로 던지기에(外其身) 오히려 그 몸이 안으로 보존된다(身存). "그 몸을 뒤로 한다"는 것은, 잘난 체하면서 항상 앞장 서고, 뭘 자기가 꼭 앞서서 리드해야 직성이 풀리는 그러한 인격자세가 아니라는 뜻이다. "그 몸을 밖으로 던진다"는 것은 자기 일신만을 지키는데 급급하지 아니하고 내 몸을 내던져 희생할 줄 아는 삶의 자세를 가리킨다. 요즈음같이 몸을 도사리기만 하며, 앞에 서서 자기현시하기만을 좋아하는 시대풍조에 정말 노자의 말씀은 우리의 폐부를 찌른다. 그런데 그 몸을 뒤로 하는 것은 뒤로 함으로만 끝나버리는 것이 아니라, 결과적으로 그 몸이 앞서는 결과가 초래된다는 것이다. 내 몸을 내던지는 희생적 행위는 희생으로만 끝나버리는 것이 아니라, 결과적으로 그 몸이 보존되는 결과가 초래된다는 것이다.

인간의 "멋"이란 어떠한 경우에도 "自私"함으로 생기지는 않는다. 인간의 "멋"이란 "손해볼 줄 아는 것," "희생할 줄 아는 것"에서 생겨난다. 『天長地久』와 같은 모든 깡패영화에 공통된 주제는, 주인공 깡패의 삶의 자세가 항상 범인을 초월하여 "後其身"하고 "外其身"하는 모습을 그리고 있다는 것이다. 그래서 보는 이로 하여금, 그들이 비록 사회적으로는 불량한 행위의 범주속에 분류되고 있지만, 무엇인가 인간에게 안타까운 느낌을 주는 "멋"을 발한다는데 있다. 『비트』속의 정우성 역이 그러하지 아니한가? 즉 사회적 악의 범주속에서 인간에게 가장 필요한 선의 가치를 창출하고 있다는 아이러니가 대개 갱스타 무비장르의 제1주제인 것이다.

그런데 여기 노자철학의 아주 중요한 한 테마가 등장한다. "後其身"의 "後"는 身을 목적어로 갖는 타동사이다. 그런데 "身先"의 "先"은 身을 주어로 갖는 자동사인 것이다.

타동사(vt)	목적어(o)	주어(s)	자동사(vi)
後	其身	身	先

이것은 무슨 뜻인가? 다시 말해서 "身先"은 "後其身"의 스스로 그러한 결과라는 것이다. 자동사라는 것은 스스로 그러함을 나타내는 동사인 것이다. 다시 말해서 身을 목적어로 갖는 타동사는 後밖에 될 수 없으며 先이 될 수 없다는 것이다. 즉 身先을 위하여, 身先의 목적을 위하여 後其身할 수는 없다는 것이다. 정우성이가 『비트』속에서 싸우러가는 순간, 자기가 살기 위해서 그 몸을 던지는 것은 아니다. 그는 살겠다는(身存) 전제가 없이 그 몸을 던지는 것(外其身)이다. 이것은 비록 불량한 깡패의 영화일지라도, 그 사회적 선·악의 평가라는 場을 떠나 생각해 볼 때, 그 주제는 바로 모든 종교정신(religious spirit)에 공통된 주제를 說하고 있는 것이다. 불교는 이것을 "無我"라 표현했고, 기독교는 이것을 "희생"이라 표현했고, 유교는 이것을 "殺身"이라 표현했고, 도가는 이것을 "後其身·外其身"이라 표현하고 있는 것이다. 모든 종교는 희생정신이 없이는, 그 종교의 고등성을 확보할 길이 없다.

身先을 목적으로 해서 後其身하지 않는다는 것은 앞서 "天地不仁"장에서 이야기한 바 이 세계를 목적론적으로 바라보지 않는다는 뜻과도 통하는 것이다. 지나친 목적론적 세계해석, 이것이 바로 인간의 自私主義의 모든 해악의 연원이라고 老子는 가르치고 있는 것이다.

그러나 만약 身先을 목적으로 해서 後其身하면 어떠할까? 身存을 목적으로 外其身한다고 뭐가 덧나는가? 뭐가 그리 크게 안될 일이 있는가? 어차피 後其身하고 外其身하는 인간의 행위 자체는 동일한 것이 아닌가? 우리가 이러한 사유의 트랙을 따라가다 보면 바로 兵家와 만나게 된다. 중국의 모든 兵家의 "전술전략"이 이러한 老子사상의 왜곡된 해석으로(사실 왜곡이라 할 수도 없다)부터 발전되어 나온 것이다. 身先하기 위해서 後其身의 전술전략을 펴고, 身存하기 위해서 外其身의 전술전략을 펴는 것이다. 이것이 바로 兵家·法家류의 "술수"(術數)라고 하는 것이다. 그러나 이 7장을 이러한 兵家의 술수로 해석할 수는 없는 것이다. 왕필은 여기에 쐐기를 하나 박는다.

自生, 則與物爭。不自生, 則物歸也。無私者, 無爲於身也,
身先身存, 故曰能成其私也。

스스로 생한다 하는 것은 사물과 더불어 다툰다 하는 것을 의미한다. 스스로 생하지 않는다는 것은 모든 사물이 저절로 그리로 돌아간다는 것을 의미한다. 사사로움이 없다는 것은, 즉 내 몸에 있어서 함이 없다는 것을 뜻한다. 그래서 스스로 그 몸이 앞서고 보존되는 것이니, 그래서 노자가 결과적으로 그 사사로움을 이룰 수 있다 라고 말씀한 것이다.

그런데 이 왕필의 말에 대해서 우리는 좀 보조적 자료를 동원
할 필요를 느낀다.

　『노자』를 생각할 때 영원히 빼놓을 수 없는 매력적인 인물,
중학교 3학년의 나이에 이 위대한 영원불멸의 노작 『노자注』를
남긴 우리의 주인공, 왕필이 쓴 책은 이 『노자注』가 전부인가?
그렇지 않다! 왕필의 고전해석으로서 우리의 서재를 장식하고
있는 유명한 저서로서 『노자注』외로 동양의 코스몰로지의 가장
위대한 경전이라고 할 『주역』을 주석한 『주역注』가 있는 것이
다. 『주역』은 난해하기로 유명하다. 그런데 이 『주역』이라는 책
을 우리가 읽으려 할 때 또 다시 거치지 않으면 아니되는 관문
이 바로 『주역왕필주』인 것이다. 『노자』에 대해 『노자왕필주』
가 차지하고 있는 위치를, 『주역』에 대해 『주역왕필주』가 차지
하고 있는 것이다. 『주역왕필주』는 또 다시 『주역』의 해석의 역
사 전체를 통털어 가장 위대한 불멸의 노작으로 평가되고 있는
것이다. 왕필은 분명 틀림없는 대천재요, 틀림없는 대석학이요,
또 역사적으로 매우 구체적인 불후의 명작을 남긴 인물임에 틀
림이 없는 것이다. 왕필의 저작 연표에 있어서 『노자주』가 앞서
는가, 『주역주』가 앞서는가에 대해서도 학자에 따라 약간의 이
견이 있지만, 대체적으로 『노자주』가 『주역주』에 앞서는 것으로
생각하고 있다(그렇다면 왕필이 『주역주』를 쓴 것은 20세 전후로 측정
된다. 대학교 1학년 정도 나이의 역작이다). 다시 말해서 『노자주』의

생각이 『주역주』 속에 많이 반영되어 있다고 보는 것이다. 이 점이 바로 왕필의 『주역』 해석학의 문제점으로 비판의 도마에 오르기도 한다. 즉 『주역』의 세계관을 너무 老子化시켰다는 것이다.

그런데 『주역』이란 무엇인가? 『주역』이란 周나라 『易』이다. 그렇다면 "易"이란 무엇인가? 易이란 "변화"를 뜻한다. 변화란 무엇인가? 변화란 끊임없이 변화하는 우주의 모습이다. 『易』이란 끊임없이 변화하는 우주의 모습을 몇가지 도상으로 정리·요약해 놓은 것이다. 그 목적은 일차적으로 점을 치기 위한 것이었으나, 세월이 지나면서 그것은 중국인의 우주에 대한 생각을 종합해 놓은 가장 위대한 우주론서로 승화되었던 것이다. 아마도 왕필이 중국역사에 있어 최초로 이 『주역』을 본격적인 우주론서로 인식하고 체계적인 해석작업을 벌린 사람일 것이다. 이 최초의 공로 때문에 『주역』은 오늘의 『주역』이 되었다고도 말할 수 있다. 이 때 『주역』이라는 텍스트의 심한 변형·교정작업이 이루어졌으며 그러한 변형·교정작업의 결과가 오늘 우리가 바라보고 있는 현 『주역』이라는 텍스트라고 생각하면 된다. 오늘 보통 『주역』이라고 말하는 텍스트는 왕필에 의해 그 모습이 개조된 것이다. 왕필은 『주역』의 본경(本經)에 해당되는 부분에 대해서만 주해를 했고, 「繫辭」나 「說卦」, 「序卦」, 「雜卦」의 소위 전(傳)에 해당되는 부분은 주석을 가하지 않았다. 왕필은 이 전

들이 이미 경에 대한 주해라고 생각했기 때문이다. 그래서 이 전
의 부분에 대해서는 韓康伯이라는 사람이 주한 것을 쓴다. 그래
서 우리가『주역』의 주를 말할 때, 보통 그 책이름이『周易王韓
注』라고 되어 있는데, 이것은 王弼과 韓康伯(한 캉뽜)의 注가
합본되어 있기 때문이다.

　내가 지금부터『주역왕필주』얘기만 하려해도 한 일년의 세
월은 소모되어야 할 것이다. 그러니 이 얘기는 다음 기회로 미
루어야 하겠지만, 우리가『주역왕필주』를 말할 때 꼭 같이 기
억해야 할 명저가 바로『周易略例』라는 희대의 논저다. 注라는
것은 古經의 문장 한 구절 한 구절에 즉해서 쓰는 것이다. 그
래서 그 한 구절 한 구절에 대한 생각을 엿볼 수는 있지만 때
로 그 전체의 논리적 얼개를 파악하기는 어려울 수도 있다. 그
런데 우리의 천재소년 왕필은『주역』에 대한 注를 달아놓고 난
후, 그 자신의 주해에 대한 전체적 입장을 經文과 상관없이 밝
히는 체계적 논문을 따로 쓴 것이다. 그것이 바로 그 유명한
『周易略例』라는 희대의 명저다. "주역약례"라는 뜻은 "주역
전체를 개략적으로(略) 예(例)를 들어 밝힌다"는 뜻이며, 아마
도 요새 말로는 "아우트라인"(Outline) 정도의 뜻이 될 것이
다. 현재『주역약례』는 보통『주역왕한주』끝에 붙어 있어, 우
리가 쉽게 그 논문을 읽어볼 수 있다. 읽어보면 읽어볼수록 글
이 아름답고 명료하며, 왕필철학의 전체적 모습이 드러나 있다.

周易해석학의 義理之學이 이로써 시작된다 할 수 있다.

그렇다면, 왕필이 『노자』를 주해한 사실에 관하여, 이런 질문을 던져볼 수 있지 않은가? 『주역주』에 대해 자기 주해의 입장을 전체적으로 밝히는 『주역약례』를 썼다면, 또한 『노자주』에 대해서도 자기 『노자』주해의 전체적 입장을 밝히는 『노자약례』를 썼음직하지 않은가? 썼는가??? 썼다! 그럼 그 책이 있는가? 없다! 그렇다면 어떻게 썼다는 것을 아는가?

우리가 왕필이라는 역사적 인물(Historical Wang Pi)을 알 수 있는 전기자료는 二十五史중의 하나인 正史 『三國志』(그러니까 소설 『三國誌』와는 구분되는 것이다)에 들어 있는 『魏書』의 전기부분에 실려있는 왕필전기가 유일한 것이다. 그런데 그 『魏書』의 列傳부분에 해당되는 곳에 王弼의 친구였던 鍾會라는 사람의 전기가 있는데, 그 전기의 말미에 친구 王弼에 대한 언급이 있어, 그 언급 밑에 何劭라는 사람이 쓴 王弼傳이 注의 형식으로 들어가 있는 것이다. 그러니까 正史의 정식항목으로 끼어 있지도 못한 셈이지만, 비교적 何劭의 王弼傳은 그 내용이 상세하다. 그런데 그 何劭의 王弼傳에 다음과 같은 대목이 우리의 관심을 끄는 것이다.

弼注老子, 爲之指略, 致有理統。

왕필은 『노자』를 주하였고, 또 『지략』을 지었다. 그리하여
정연한 이론체계를 갖추는데 이르고 있다.

여기서 『指略』은 분명히 『周易略例』와도 같은 『老子指略』
을 가리키고 있는 것이다. 그러나 이 『노자지략』은 세상에 전해
지질 않았다. 그래서 우리는 그 책이 이름만 남아있을 뿐 佚書
라고 생각할 수밖에 없었다. 그런데! 짜자잔! 또 위대한 사건
이 터진 것이다.

1956년, 臺灣에 이주해 사시던 금세기 『老子』서지학 연구의
최고봉이라 말할 수 있는 엄영봉(嚴靈峰, 옌 링훵)선생께서 『正
統道藏』이라는 방대한 서물의 더미속에서(正一部 鼓字號) 『老
子微旨例略』이라는 저자연대 미상의 한 책을 발견해낸 것이다.
엄영봉선생은 나의 대만대학 석사논문 지도교관 중의 한 분이셨
다. 나는 선생의 서재를 자주 방문할 기회가 있었는데 그 방대한
古書들의 書香을 지금도 기억하고 있다. 『미지례략』의 둘째 넷
째 글자를 합치면 『지략』이 된다. 何劭가 말한 『指略』은 바로
『微旨例略』이었던 것이다. 旨와 指는 通한다. "略例"(『주역』의
경우)와 "例略"(『노자』의 경우)은 같은 뜻이다. 『正統道藏』이라는
것은 불교의 대장경을 모방하여 도교에서 편찬한 도교의 대장경

인데 唐·宋대를 거쳐서 明나라 英宗 正統연간에 그 체제가 완성된 것이다. 그 방대한 서물의 더미속에 바로 잃어버린 왕필의 『노자지략』이 숨어있었던 것이다. 그 문자의 비교검토를 통해 도장경本의 『노자미지례략』이 바로 왕필의 『노자지략』이라는 것이 의심할 바 없이 드러났다. 그래서 요즈음은 왕필의 『노자주』와 더불어 같이 참고하는 책이 바로 『노자미지례략』인 것이다. 그 책을 열면 다음과 같은 왕필의 無의 선언문이 펼쳐지고 있다.

夫物之所以生, 功之所以成, 必生乎無形, 由乎無名。無形無名者, 萬物之宗也。不溫不涼, 不宮不商。聽之不可得而聞, 視之不可得而彰, 體之不可得而知, 味之不可得而嘗。故其爲物也則混成, 爲象也則無形, 爲音也則希聲, 爲味也則無呈。故能爲品物之宗主, 苞通靡使不經也。

대저 사물이 생겨나고, 공이 이루어지는 것은 반드시 무형에서 생겨나는 것이요, 무명을 통하여 이루어지는 것이다. 무형무명이라는 것이야말로 만물의 하느님이다. 그것은 따뜻할 수도 없고 차가울 수도 없는 것이요, 궁음으로 한정될 수도 없고 상음으로 한정될 수도 없는 것이다. 그것은 들어도 들리지 아니하고, 보아도 보이지 아니하고, 만져도 만져지지 아니하고, 맛을 보아도 맛보아지지 않는 것이다. 그러므로 그것의 물됨이란 혼돈스러울 뿐이요, 모습됨이란 형체가 없을 뿐이요, 음됨이란 소리가 없을 뿐이요, 그 맛됨이란 드러남이 없을 뿐이다. 그러기 때문에 오히려 모든 형체를 가진 만물의 종주가 될 수 있는 것이며, 포괄하지 않는 것이 없어 그를 거치지 않음이 있을 수 없다.

이것을 읽는 즉시 전문가라면 이것은 피치 못하게 王弼의 문장이라는 것을 알아차릴 수 있다. 생각의 기조가 『노자왕필주』의 문장과 완벽하게 일치하고 있기 때문이다. 이것은 어떤 의미에서 玄學의 선언문과도 같은 것이다. 魏晋玄學이 바로 이 선언문에서 시작된 것이다. 이 玄風의 주 테마를 우리는 보통 "숭무론"(崇無論)이라고 말한다. 有에 대하여 無를 더 본원적인 것으로 숭상한다는 뜻이다. 그러나 왕필의 無는 有와 대적적으로 군림하는 상대적인 無가 아니라 有를 苞通하는 無, 有를 통하여 자기를 드러내는 無인 것이다. 즉 無는 有의 비한정적 형태인 것이다.

그런데 내가 이 7장의 해설에서 『미지례략』을 운운한 것은 바로 『지략』의 말미부분에 7장과 관련된 왕필의 명연설이 실려 있기 때문이다.

夫惡强非欲不强也, 爲强則失强也。絕仁非欲不仁也, 爲
仁則僞成也。有其治而乃亂, 保其安而乃危。後其身而身
先, 身先非先身之所能也。外其身而身存, 身存非存身之
所爲也。功不可取, 美不可用。

대저 강함을 미워한다는 것이 곧 강하지 아니함을 원한다는
것은 아니다. 억지로 강해질려고 하면 오히려 강함을 잃어버
린다 함을 말하고자 하는 것이다. 인함을 끊어라 하는 것이
곧 인하지 아니함을 원한다는 것은 아니다. 억지로 인자해질
려고 하면 오히려 위선이 생겨난다는 것을 말하고자 하는 것
이다. 질서를 유지할려고 노력하면 오히려 어지럽게 되어버
리고, 평안함을 보지할려고 노력하면 오히려 위태롭게 되는
것이다. 노자가 "그 몸을 뒤로 하기에 몸이 앞서고"라고 말
씀하셨는데, 이때 몸이 앞선다 하는 것은 몸을 앞세움으로써
이루어질 수 있는 그러한 것이 아니다. 또 "그 몸을 밖으로
던지기에 몸이 안으로 보존된다"고 말씀하셨는데, 이때 몸이
보존된다 하는 것은 몸을 보존시킬려고 해서 이루어질 수 있
는 그러한 것이 아니다. 공이라 하는 것은 취할 수 없는 것이
요, 아름다움이라 하는 것은 쓸 수가 없는 것이다.

　왕필은 명료하게 내가 말하는 자동사와 타동사의 논리를 인식
하고 있지 아니한가? 身先은 先身의 所能이 아니다. 身存은 存
身의 所爲가 아니다. 身先의 先은 자동사요, 先身의 先은 타동
사인 것이다. 身存의 存은 자동사요, 存身의 存은 타동사인 것

이다. 여기서 왕필은 兵家的 논리를 완벽하게 차단하고 있는 것이다. 身先과 身存은 그냥 스스로 그러한 결과일 뿐인 것이다. 목적론적 대상이 되어서는 아니되는 것이다.

그리고 마지막으로 이 身先·身存 운운한 이 구절이 帛書 甲·乙本에 다 실려 있고 王本과 약간의 出入이 있다.

王本	是以聖人後其身而身先, 外其身而身存。
甲本	是以聲人芮其身而身先, 外其身而身存。
乙本	是以耶人退其身而身先, 外其身而身先, 外其身而身存。

王本은 기본적으로 帛書 甲本과 일치한다. 甲本의 "芮其身"의 "芮"는 乙本의 "退"와 같은 의미로 보아야 한다. "退其身"과 "後其身"이 결국 같은 의미라는 것은 쉽게 알 수 있다. 芮에는 納의 의미가 있어 어떤 의미에서 外와 상대적인 뜻으로 썼을 수도 있다. 芮(jui)와 退(t'ui)는 현재 발음으로는 첩운이 되지만 상고음에서는 첩운이 되지 않는다. 그러므로 발음상의 연결은 전혀 없다. 乙本에서 중간의 "外其身而身先"이 衍文처럼 보인

다. 그러나 이것은 단순한 연문이 아닐 수도 있다. "芮其身而身先"을 "退其身而身先"으로 고치면서 "外其身而身存"과의 중간에 완충적 고리로서 한번 더 의미를 중복시킨 것으로 보인다. 그런데 王弼은 "退其身而身先"을 아예 "後其身而身先"으로 명료하게 만들면서(先後관계로), "外其身而身先"을 衍文으로 간주, 생략시켰을 것이다. 그렇다면 이 三者간에는 甲本 → 乙本 → 王本으로의 발전경로가 생기지만, 물론 이것은 이 三者의 抄寫의 원본이 모두 다른데서 생기는 문제일 수도 있다. 하여튼 이렇게 다른 판본을 비교해보는 것은 재미있는 것이다. 簡本에는 이 7장은 나타나지 않는다.

나의 7장 해설은 여기서 끝내기로 하겠지만, 우리가 새삼 다시 인식해야할 사실은 『노자』의 문장이 한장 한장 소략하고 단순하고 상식적이기 그지없이 보이지만, 그 이면에는 수천년의 쌓인 지혜로운 생각들이 끊임없이 중첩되어 있다는 사실이다. 『노자』 하나의 이해를 통하여 우리는 보이지 않는 우리의 사유의 형성경로를 정확히 더듬어볼 수 있는 것이다.

八章

上善若水。
상선약수。

水善利萬物而不爭,
수선리만물이부쟁,

處衆人之所惡,
처중인지소오,

故幾於道。
고기어도。

居善地,
거선지,

心善淵,
심선연,

與善仁,
여선인,

言善信,
언선신,

正善治,
정선치,

事善能,
사선능,

動善時。
동선시。

夫唯不爭, 故無尤。
부유부쟁, 고무우。

여덟째 가름

가장 좋은 것은
물과 같다.
물은 만물을
잘 이롭게 하면서도 다투지 않는다.
뭇 사람들이 싫어하는
낮은 곳에 처하기를 좋아한다.
그러므로 도에 가깝다.
살 때는
낮은 땅에 처하기를 잘하고,
마음 쓸 때는
그윽한 마음가짐을 잘하고,
벗을 사귈 때는
어질기를 잘하고,
말 할 때는
믿음직하기를 잘하고,
다스릴 때는
질서있게 하기를 잘하고,
일 할 때는
능력있기를 잘하고,
움직일 때는
바른 때를 타기를 잘한다.
대저 오로지
다투지 아니하니
허물이 없어라.

説老 아마도 우리나라 인사동골목이나, 아니, 굳이 그런 고색 창연한 구석을 찾아다니지 않아도, 뭐 고관대작님의 삐까번쩍하는 집무실이나 회의실 등지에 가장 많이 걸려있는 액자 문구를 하나 뽑으라면, 아마 "上善若水"라는 이 구절이 최다득점 금메달 감이 아닐까 생각된다. 사실 우리같이 한문이 익숙한 사람들에게는 사방에 붙어있는 것이 고전글귀인데, 보통 사람들이 생각하는 것보다는 어느 곳에든지 꼭 『노자』 문구들이 많이 걸려 있다. 그중에서도 가장 많이 걸려 있는 문구가 바로 이 "上善若水"인 것이다. 우리나라 사람들은 이 같이 노자를 좋아해서 노자말씀을 사방에 걸어놓고 살고 있지만, 예수 말씀만큼 이래도 노자말씀을 이해하는 자는 없고, 우리 역사는 노자가 말하는 미덕과는 전혀 다른 방향으로만 치닫고 있으니 우쩔 것인가!

아마도 20세기 한국역사야말로 가장 비노자적인 역사라 해야 할 것이지만, 그러기에 오히려 노자의 말씀이 매력적으로 들리는 아이러니의 역사풍진이라 해야 할 것이다. 그래서 부끄럽게도 이 도올이 이렇게 대중앞에 서있질 아니한가?

내가 중학교 3학년 때 5·16혁명이 났다. 사실 우리는 그때

만해도 "쿠데타"라는 말이 무슨 뜻인지도 몰랐다. 해독하기 어려운 무슨 암호인 것처럼 들렸다. 하여튼 그날 아침 조간신문엔 거대한 글씨들이 박혀 있었고, 탱크사진들이 있는 것으로 보아 심상치 않은 변화가 있다는 것만 알았다. 나의 장형 김용준은 돈암동집 툇마루에 나와 앉아 신문을 읽으며 묵묵히 고개를 끄떡이며 무거운 표정만 짓고 있었다. 우리는 여느 때와 다름없이 학교를 갔다. "계엄"이라는 말이 무슨 말인지도 우리는 몰랐다. 큰형은 가방들고 집문을 나서는 나에게 그냥 조심하라고만 일러주었다.

당시 우리국민의 장면(張勉, 1899~1966)이라는 사람에 대한 인상은 크게 나쁠 것이 없었다. 독실한 카톨릭신자였고, 그 양반댁이 바로 혜화동에서 보성학교 올라가는 개천길 오른쪽에 있는 아담한 한옥집이었는데 상당히 검소한 생활을 하시는 분이었고, 또 인상에서 느낄 수 있듯이 매우 얌전하고 깨끗한 분이었다. 단지 4·19학생혁명이후 어지러운 정국의 상황에서 볼 때, 그는 어떤 과단성있는 카리스마를 과시하기에는 역부족인 인물이었을지도 모르고, 또 권력의 자기 베이스를 갖고 있지 못하다는 것만이 흠이었을 것이다. 내가 중학교 때 공민선생이 수업에 들어 오셔서 "여자고등학교 교장선생님이나 하셨으면 편하게 사셨을 껄"이라 한 표현이 생각나는데 이 말도 크게 빗나가는 말이 아닐지도 모른다.

내가 다녔던 보성학교에는 참으로 훌륭한 선생님들이 많았다. 학식과 인덕을 겸비한 개성있는 굵직굵직한 큰 인물들이 많았다. 1961년 5월 16일, 국사시간! 나에게는 참으로 인상깊은 한시간이었다.

"반쪽"이라는 별명이 붙어있었던 국사선생님, 어떻게 생각하면 사람의 생김새를 놓고 별명을 짓는다는 것은 좀 가혹한 느낌도 들지만, 어찌 생각하면 아예 정직하고 소박한 별명일지도 모른다. 정확한 얘기인지는 몰라도, 6·25전란 때 크게 부상을 당하셨다는데, 하여튼 얼굴이 반쪽이 날라가고 없었다. 김덕빈(金德彬)선생님, 목소리조차 쳇불을 걸러 나오는 듯 아주 가냘픈 허스키에 카랑진 음성, 키는 훤칠했고 모습은 한없이 인자하였건만 말씀은 한마디 한마디 옹글진 진리의 이슬방울과도 같았다.

"여러분! 오늘 우리역사는 새로운 국면을 맞이하게 되었습니다. 앞으로 어떠한 역사가 새롭게 전개될지라도 지금 제가 하는 말을 꼭 가슴깊이 명심하여 두십시오. 쿠데타는 결코 바람직한 것이 아닙니다. 그리고 질서라는 명목아래 혼돈을 말살해서는 아니됩니다. 지난 일년동안 우리역사는 매우 무질서했고 혼돈스러웠습니다. 그러나 그것은 우리역사가 단군이래 처음 맞이한 민주의 가능성이었습니다. 혼돈의 과정이 없이 민주의 성립은 불가능합니다. 그것은 이 시점에서 말살되기보다는 조금 더 지속되었어야 할 혼돈이었습니다. 참으로 애석하게 생각합니다. 그리고 앞으로 나는 여러분들께 이런 말을 다시 하지 못할 것입니다……"

나는 이렇게 역사라는 것을 배웠다. 김덕빈선생님은 나에게 국사를 가르쳐준 것이 아니라 산 역사를 가르쳐주셨던 것이다.

나는 중·고등학교시절을 통해 조금도 우수한 구석이라고는 한군데도 없는 너무도 평범하고 별볼일 없는 아이였다. 그런데 지금 중·고등학교 동창생들을 만나 이야기해보면 좀 놀라운 사실을 발견한다. 나와 분명히 한 클라스에서 김덕빈선생님의 이러한 이야기를 들었던 학우들이 어느 누구도 이 생생한 증언을 특별히 기억하고 있질 못하다는 것이다. 진리는 항상 우리 주변에서 물 흐르듯 지나가 버린다. 어쩌다 나뭇가지라도 만나면 잠시 걸치는 거품처럼 우리 뇌리를 스치는 모양이다. 인연이 닿지 않으면 망각 속으로 묻힐 뿐이다. 그러나 우리의 옛 스승들은 역사의 장면장면에서 진리를 說할 줄 알았던 것이다. 그는 국사선생이기전에 지사였고 선각자였고 교육자였다.

나는 사실 이렇게 전율이 스며드는 순간들을 통해 이미 老子를 배웠던 것 같다. 우리는 모두 질서를 아름답다고 생각하고,

혼돈을 추하다고 생각한다. 질서만이 선이요 혼돈은 악이라고 생각하는 것이다. 그러나 노자는 혼돈이야말로 선이라고 생각한다. 혼돈은 결코 무질서를 말하는 것이 아니다. 혼돈은 질서의 가능태요, 노자철학의 전문술어를 빌리면, 그것은 질서의 허(虛)다. 질서는 분명 아름다운 것이다. 그러나 질서가 혼돈의 이면을 갖지 못하고 고착되면, 그것은 질서가 아니라 질곡이다. 바로 김덕빈선생님은 평범하기 그지 없었던 보성중학교 3학년 도올에게 역사를 바라보는 위대한 지혜를 혁명의 아침에 가르쳐주셨던 것이다. 그것은 좀 더 유지되었어야만 했던 혼돈이었다! 그리고 우리의 역사는 창조성이 고갈된 질서속으로 질서속으로 빠져들어가기 시작했던 것이다.

6·3데모! 나는 당시 고등학교 학생이었지만 우리의 대학생들이 무엇을 위해 그렇게 싸워야만 했는지, 김덕빈선생님의 그 한마디 때문에, 너무도 잘 알고 있었다. 한일회담! 한일국교정상화! 쏟아져 들어오는 차관! 물론 이러한 20세기의 물결은 일본제국주의 식민지에서 해방된 우리민족의 역사가 구조적으로 거치지 않으면 아니되었던 필연적 진통이긴 했지만 당시 우리 젊은 학도들의 공포감은 아주 단순한 것이었다. 그러한 외재적 요구에 의한 제2의 개항이 궁극적으로 우리나라의 종속도를 높이고, 우리문명의 모습을 영원히 의존적인 구조로 틀지워버릴 것이라는 공포감! 이 공포감은 궁극적으로 서양제국주의가 제

시하는 문명적 형태에 대한 反문명적 정의감이었다.

재건합시다! 재건복을 입고 차렷, 경녯을 붙이기 시작한 우리 국민들! 박정희대통령께서 직접 만드셨다는 새마을 노래가 울려퍼지고 새마을 운동의 열기가 한참 달아오를 시점 나는 대학생이었다.

1983년 깐느 그랑프리를 획득한 이마무라 쇼오헤이(今村昌平) 감독의 희대의 명작, 『나라야마부시코오』(楢山節考)라는 영화를 보면, 나라야마라는 산골마을의 한 도둑집이 동네재판을 받고 식량이 다 털리게되니까 그곳에 살던 구렁이가 빠져나가는 장면이 나온다. 아마도 지금 이런 영화장면을 보는 젊은이들은 그것이 무엇을 의미하는지 몰랐을 것이다. 집에 식량을 쌓아두면 쥐가 끓게되고, 쥐가 들끓면 반드시 구렁이가 산다. 옛날에 구렁이는 사람에게 이로운 동물이었다. 내가 살던 천안집에도 지붕 서까래에 거대한 구렁이가 넌출넌출 늠름한 자태를 걸치고 우리와 같이 살았다. 자연의 에코체인(eco-chain)의 너무도 평상스러운 모습이었다.

새마을 운동! 뉴 빌리지 캠페인! 좋다! 어차피 역사를 새롭게 만드는 것은 누가 해도 해야 할 일일 것이다. 그러나 새마을을 만든다는 것이 어떻게 해서, 그 古都의 상징이던 덕수궁담부터 허물고, 몇천년의 우리의 삶의 정서가 깃든 초가지붕 걷어내는 것부터 시작해야 된단 말인가? 초가지붕을 걷어내면서 거기에 둥지틀고 살던 새들이 집을 잃고 구렁이들은 이제 자취를 감추어 버렸다. 그들과 더불어 우리 삶의 지혜로운 방식과 꿈이 다같이 사라져버리기 시작한 것이다. 물론, 우리는 지금 얄팍한 감상적 낭만을 얘기해서는 아니된다. 근대화의 적이 초가지붕이라면 물론 초가지붕을 걷어내도 좋다. 그러나 막상 그 대안으로 제시된 스레이트 지붕, 방온·방풍의 작용이 전무하고 비마저 줄줄새는, 게다가 보기싫게 샛파랗고 샛빨갛게 형형색색으로 페인트를 입힌 천박한 모습들은 근대화·산업화의 대가로 치루기에는 너무도 억울하고 졸렬하고 옹색한 역사의 퇴보였다. 새마을 운동은 우리민족의 문화 전체의 격조를 하락시키기 시작했고, 우리민족이 수천년 동안 자연스럽게 지녀왔던 슬기로운 삶의 방식을 단순한 "생산성의 제고"라는 미명하에 여지없이 파괴시켰다.

나는 대학교시절에 우리민족의 진정한 이념의 대결은 좌·우에 있지 않다고 판단했다. 좌든 우든 그것은 모두 근세 서양계몽주의의 말류적 발상에 불과한 것이다. 보다 근원적인 대결은 좌·우에 있는 것이 아니라, 동·서에 있다고 생각했다. 여기서 내가 말하는 동·서란 동양과 서양이라는 막연한 지역적 개념이 아니다. 여기서 말하는 서양이란 모든 수단방법을 가리지 않고 인간의 편의적 문명을 건설하려는 유위적 드라이브를 총칭한다. 산업·과학·예술·종교·경제 그 모든 것이 이 유위적 드라이브를 위해 총동원되는 것이다. 이에 반하여 동양이라고 하는 것은 그러한 유위적 드라이브에 역행하는, 인간과 자연의 공존·공생을 모색하는, 그러면서 인간의 욕망의 억제를 감내하는 어떤 슬기로움, 즉 유위적 드라이브에 맞불을 놓는 무위적 드라이브를 말하는 것이다. 나는 이러한 무위적 드라이브의 허망함을 잘 알고 있었다. 그리고 앞으로의 역사의 전개는 좌·우 이념의 피상적 충돌로써 점철될 뿐이며, 근원적 무위의 드라이브는 그 충돌의 수레바퀴 밑에 깔려 숨소리도 내지 못할 것이라는 것을 잘 알고 있었던 것이다. 이러한 나에게 『노자』는 하나의 구원이었다. 양보할 수 없는 지혜의 기둥이었다. 그것은 내가 부둥켜 안고 울고 또 울 수밖에 없었던 나의 영혼의 의지처였다.

나는 대학교 때 학교신문에 새마을 운동은 문화박멸운동 (culturcide movement)일 뿐이라는 논지의 글을 발표했다가 뼈아픈 곤욕을 치루기도 하였다. 윤필용 사건! 위수령! 고려대학 교정에 장갑차 진입! 나는 학우들과 군인들의 군화발에 채이고 곤봉으로 피나게 두드려 맞으며 수경사에 짐짝처럼 끌려가 온몸에 피멍이 들어야 했지만, 잊을 수 없었던 것은 바로 5·16혁명 첫날 국사선생님의 카랑진 목소리, 우리민족은 혼돈의 지혜를 더 배워야 한다고, 외치셨던 그 목소리였을지도 모른다. 이제는 더 들려줄 수 없는 양심의 소리를 나는『노자』를 통해 이 역사에 들려주어야 한다고 생각했던 것이다. 내가 60년대 나의 영혼을 좌·우 이념의 소용돌이 속에 떠맡겼다면 나는 분명 좌익사상가가 되었을 것이다. 그리고 인혁당 동지들과 더불어 형장의 한 이슬이 되었을지도 모른다. 분명 목숨을 부지해서 살아남은 노자사상가는 되지 않았을 것이다. 그러나 60년대, 그 아무도 거들떠보지 않던 이 고리타분한 동양의 고전에 매달렸던 당시의 심정은 형장의 이슬 못지않게 반짝였던 절박한 그 무엇이었다는 것만은 자신있게 고백할 수 있을 것 같다. 그때 그토록 절박하게 동양의 고전에 매달리지 않았더라면 오늘 이렇게 방대한 고전의 세계를 넘나들며 20세기와 21세기 두 세기를 총괄적으로 관망할 수 있는 나 도올 사상가의 모습은 이 역사에 태어나지 않았을 것이다. 내가 말하려는 것은 나 개인의 학식의 과시가 아니라, 학문이란 본시 그 시대정신의 소산이라는 것을 확실히 얘기하고자 하는 것이다.『노자』라는 서물의 전공자로서 노자를 말하는 것이 아니요, 지금 내 강의를 듣는 모든 사람과 더불어 왜 내가 노자를 말해야하는지, 그 공유된 역사의 진실을 더불어 회고해 보자는 것이다. 지금 이 시점의 노자는 우리역사의 한 필연일 수밖에 없는 것이다.

노자가 道를 말할 때, 가장 우리 가슴에 쉽게 와 닿는 이미지가 바로 이 "물"(水)이라는 것이다. 물은 타오르는 불처럼 아래서 위로 올라가지 않는다. 물은 항상 자신을 겸손하게 낮춘다. 항상 위에서 아래로 자신을 낮추지만 사실 아니 올라가는 곳이 없다. 산꼭대기 봉우리에도, 저 드높은 청천 하늘 꼭대기에도, 물은 아니 가는 곳이 없다. 모세관작용을 통해, 氣化작용을 통해, 물은 훨훨 타오르는 불구덩에까지 없는 곳이 없는 것이다. 자신을 항상 낮추면서도 無所不在(omnipresence)한 신의 능력을 과시하고 있는 것이다.

물이 자신을 낮춘다 함은 자신을 卑下시킬줄 아는 것이다. 비하시킨다 함은 남들이 싫어하는 저 더러운 수채구멍 시궁창에까지 아니감이 없는 것이다(處衆人之所惡). 우리는 여기서 왜 예수가 말구유간에서 태어나는 신화구조속에서 등장했어야 하는지, 왜 중광같은 스님이 자기를 "걸레중"이라고 부르기를 좋아하는지 그 지혜의 일단을 엿볼 수 있게 되는 것이다.

물의 이미지에서 가장 중요한 것은, "不爭"이다. 이미 3장의 不尙賢의 논리에서 나왔던 "不爭"(Denial of Competition)의 이미지가 여기 8장에서 물의 이미지로 보다 생생하게 구체적으로 다가온다. 물은 자신을 낮추며 흐른다. 그러다가 암석을 만나도 암석과 다투지 않고, 암석의 자리를 차지할려 하지도 않는다. 점잖게 스윽 비켜지나갈 뿐이다.

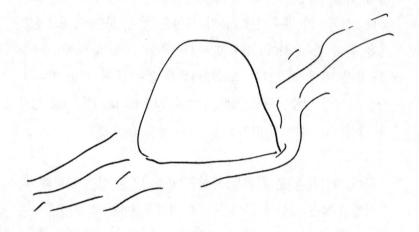

그렇지만 결국 물 앞에 당할 것은 없다. 한 방울의 낙숫물이 억만년의 바위를 뚫어 버릴 수도 있는 것이다.

다음 물의 이미지에 가장 중요한 것은, 물은 萬物을 잘 이롭게 한다는 것이다(水善利萬物). 즉 다투지 않으면서도 가는 곳마다 모든 것을 이롭게 한다는 것이다. 물이 없으면 만물은 고사(枯死)해버리고 만다. 내가 이 글을 쓰고 있는 나무책상조차도, 죽어있는 듯이 보이지만, 적당한 수분이 없으면 이 꼴을 유지하지 못할 것이다. 하물며 살아있는 나무 한 그루야! 물은 생명의 근원이다. 물이 없으면 땅도 갈러지고, 모든 농작물이 타 죽는다. 그러나 물이 흐르게 되면 어느 곳이나 사망의 골짜기라 할지라도 다시 생명이 소생한다. 물이 있으면 곧 모든 생명이 춤춘다. 습기가 있는 곳은 곰팡이가 슬고 썩는다 함도, 사망을 말하는 것이 아니요, 생명이 끊임없이 활발히 순환함을 의미하는 것이다. 모든 氣는 생명의 충만태요, 물을 만나기만 하면 그 가능태는 현실태로 변하게 마련이다. 물처럼 모든 것을 이롭게 하는 것이 또 어디 있으랴! 사막에서의 물 한방울처럼 우리에게 고마운 것이 어디 또 있으랴! 그것은 H_2O라는 화학물질이 아니고 바로 생명 그 자체인 것이다. 물은 곧 생명이요, 물은 곧 神이다. 다투지 아니하면서 모든 것을 이롭게 하고 모든 것에 생명을 부여하며 無所不在한 것! 그것은 곧 하느님의 모습이 아니고 무엇이랴! 하느님이 곧 道요, 道가 곧 하느님인 것이다.

본 장에서 언급되지는 않았지만 『노자』에서 그리고 있는 물의 또 하나의 중요한 모습은 평형작용(equilibrium function)이다. 그것은 지나가면서, 높은 것을 깎아내고 낮은 것을 돋아준다(損有餘而補不足). 물은 평형의 상징이다. 모든 것의 호라이즌(horizon)이 곧 수평(水平)이다. 물은 어느 곳, 어느 상태에서든지 水平을 지향한다. 水平의 지향이 곧 물의 활동성의 과정이다. 이러한 물의 이미지가 노자에게 있어서는 사회적 평등관의 이미지와 결부되어 있다. 노자는 칼 맑스 처럼 계급의 평등을 말하지 않는다. 노자는 오직 물의 평등을 말할 뿐이다. 사회적 평등의 개념은 인간의 경제활동에 국한되는 것이 아닌, 모든 정신적 가치에도 포괄적으로 고려되어야 하는 개념인 것이다. 그래서 물의 평등은 단순한 계급적 획일주의나 노동가치의 분배의 평등을 초월하는 포괄적인 평등인 것이다. 그것은 구체적인 이론이 아니요, 우리가 살면서 터득하는 모든 가치의 포섭적인 평등의 체계(Comprehensive Equilibrium)인 것이다.

이러한 길(道)과 물(水)의 이미지는, 직선적인 발전만을 추구하고, 무차별적인 경제적 진보만을 추구하고, 따라서 모든 사회적 불평등의 현실을 묵살하는 군사독재정권의 압제속에서 신음하고 있던 나에게, "새마을운동"이라는 천박하기 이를데 없는 문화박멸운동(culturcide movement)의 수레바퀴 밑에서 끔찍스럽도록 증오스러운 나날을 보내야만 했던 나에게, 그것은 참으로 위대한 구원의 빛이었다. 물의 소리없는 흐름은, 비록 다툼이 없을지라도 우리민족을 그러한 천박한 쟁(爭)의 문화로부터 다시 탈출시키고야 말리라는 소망을 던져주는 어떤 근원적인 역사의 멧세지였던 것이다.

"居善地"로부터 시작하는 일곱구절은, 帛書本에도 거의 비슷한 형태로 실려있다. 그런데 그것을 우리말로 번역하는 방식은 너무도 다양한 가능성이 있을 수 있다. 같은 글자에 대해서도 동사·형용사·목적어의 다양한 변조가 가능하기 때문이다.

居善地	거할 때는 땅을 좋은 것으로 삼고
	거할 때는 낮은데 처하기를 잘하고
	좋은 땅에 거하고
	거할 때는 땅을 좋게 하고

이 밖에도 다른 번역의 가능성이 있겠지만, 문제는 어떤 방식으로 번역해도 어느 것이 더 정답이라는 논의는 불가능하다는 것이다.

이 일곱 구절은 물의 덕성을, 도를 구현하는 인간의 삶의 방식에 비유하여 말한 것이다. 이 구절이 시작되기 전에 노자는 물(水)의 모습을 묘사하고, 그것을 정돈하는 자리에서 "故幾於道"라는 표현을 쓰고 있다. 여기 "幾於"라는 표현은 "…에 가깝다"라는 뜻이다. 여기 숨은 주어는 "물"(水)이다. "水幾於道!" 이것은 과연 무슨 뜻인가? 여기에 우리의 천재소년 왕필(王弼)은 또 하나의 기발한 주석을 남겨놓고 있다.

道無水有，故日幾也。

나는 이러한 옛사람들의 언어를 들여다 보고 있으면 좀 소름이 끼친다. 너무도 현대철학의 다양한 주제들이 이미 이 간략한 옛 사람들의 언어속에 아주 명료하게 함축되어 있기 때문이다. 애매한 구석이 없이 아주 진솔하게 문제의 정곡을 찌르고 있기 때문이다.

말부르크 신칸트학파의 한 사람이며, 나치의 압제를 벗어나 영국, 스웨덴을 전전하다가 나중에는 미국 예일・콜럼비아대학에서 날카로운 지성의 혜망을 휘날리며 생애를 마감했던 20세기 독일의 철학자, 에른스트 카씨러(Ernst Cassirer, 1874~1945)는 그의 주저, 『인간론』(An Essay on Man, 1944년 초간)에서 인간을 "상징적 동물"이라고 규정한다. 여기서 상징이라 함은 인간의 개념적 인식이 가지고 있는 상징화(symbolization)의 능력이다. 다시 말해서 인간이 바라보고 있는 모든 세계, 그러니까 과학 뿐만 아니라, 신화, 종교, 언어, 예술, 역사 등등의 모든 세계가 하나의 상관된 상징의 체계라는 것이다. "상징화"란 곧 "상징적 표상"(symbolic representation) 이다. 상징적 표상은 곧 우리의 오성적 인식의 본질인 것이다.

카씨러에게 있어서 상징(symbol)과 싸인(sign)은 매우 다른 것이다. 싸인이란, 기호라는 물리적 체계와 그것이 지시하는 의미체계와의 관계가 거의 1:1의 관계이거나 지극히 협애한 통로 속에 제한되는 것이다. 예를 들면, 교통신호는 "빨간불=멈춤," "파란불=감"이라는 지극히 협애한 대응관계에 국한되는 싸인일 뿐이다. 그것은 상징체계가 아니다.

그러나 상징의 특징은 이러한 협애한 대응관계를 초월하는 보편적 적응의 원리(a principle of universal applicability)를 가지고 있다. 상징과 상징이 지시하는 의미체와의 관계는 1 : 1이 아니라 1 : 多의 관계인 것이다. 다시 말해서 노자가 말하는 물은 물이라는 물체가 아닌 하나의 상징(symbol)이다. 그 물이라는 상징은 저기 저 흐르는 H_2O의 물리적 사실이 아니라, 道의 무한히 다양한 성격을 표상하는 현상을 기능적으로 지시하는 의미의 체계인 것이다. 싸인이란 물리적 세계에 속하지만, 상징이란 인간의 의미의 세계에 속하는 것이다. 싸인은 조작체(operator)이지만, 상징은 지시체(designator)인 것이다. 싸인은 물리적 존재이지만, 상징은 기능적 가치인 것이다.

바로 인간이 인간다울 수 있는 것은 기호가 아닌 상징을 만들어낼 수 있는 능력을 소유하고 있다는데 있다. 개나 새도 기호적인 언어를 소유하지만, 그 언어는 상징적 언어의 형상적이고도 보편적인 힘에는 도저히 미칠 수 없는 성격의 것이다. 인간의 지능은 개념(conception)으로부터 출발하며, 개념은 모두 상징적 표현(symbolic expression)에서 완성되는 것이다. 이러한 상징적 형상의 창조의 총체가 곧 인간의 문화(Culture)라는 것이다.

　바로 이러한 현대철학의 핵심적 과제를 『노자』는 암시하고 있고, 이 암시를 王弼은 보다 현시적으로 드러내고 있는 것이다. 老子는 왜 물을 말하면서 "道에 가깝다," 즉 "가깝다"(幾)라는 표현을 썼을까? 이에 대하여 왕필은 너무도 명료한 해답을 제시하고 있다.

　　道는 無며, 水는 有다.

　　그러므로 "가깝다"는 표현을 쓴 것이다.

　왕필이 말하는 有라는 것은 물리적 사실(physical fact)을 의미하는 것이다. 왕필이 말하는 無라는 것은 상징적 체계의 총체(the total symbolic system)를 의미하는 것이다. 물이라는 물리적 有적 사실이 도라는 상징적 無적 체계와 정확히 대응될 수 없다는 것이다. 그러므로 기껏해야 "가깝다"라는 표현밖에는 쓸 수가 없다는 것이다.

水	有	**물리적 사실**(physical fact)	水
道	無	**상징적 체계**(symbolic system)	幾 於 道

이렇게 표를 만들어 놓고 보면 무엇인가 도와 물의 관계가 매우 명료하게 드러나는 듯이 보이지만, 여기서 논의되고 있는 에른스트 카씨러의 상징주의적 입장과 노자나 왕필의 입장은 전혀 반대되는 존재론적·형이상학적 배경을 가지고 있다는 사실을 우리는 보다 심층적으로 재해석하지 않으면 안된다.

카씨러에게 있어서 상징적 체계는 상징적 형상(symbolic form)이다. 여기서 말하는 형상은 곧 우리의 개념이요, 관념이며, 그 연원을 거슬러 올라가면 플라톤의 이데아를 지칭한다. 카씨러에게 있어서 형상(Form)이란 부정되어야할 것이 아니라 긍정되어야 할 것이다. 그러나 노자에게 있어서 형상이란 可道之道의 세계며, 그것은 긍정되어야 할 세계가 아니라 부정되어야 할 세계인 것이다.

왕필이 물은 **있고**(水有), 도는 **없다**(道無)라 했을 때, 있음(有)은 단순한 물리적 사실을 말하는 것이 아니다. 물(水)이라는 有는 이미 인간의 언어에 의하여 고착된 질서로서의 한정자라는 뜻이다. 그리고 도는 없다라 했을 때의 없음(無)은 그러한 언어적 고착에 의하여 파악될 수 없는 무한정자(the Unconditioned)를 의미한다. 따라서 그 무한정자의 세계야말로 우리의 언어적 세계를 뛰어넘어 峙立하는 사실의 세계이다. 그 사실이야말로 노자에게 있어서는 상(常)의 세계인 것이다. 즉 노자의 실재(리알리티, Reality)는 카씨러가 말하는 상징적 체계가 아니라, 그러한 상징적 체계를 뛰어넘는 끊임없이 변하는 사실로서의 세계인 것이다. 노자에게 있어서 초월(the Transcendental)이란 바로 끊임없이 변하는 현상적 사실로의 복귀인 것이다. 따라서 노자·왕필의 도표는 이렇게 바뀔 수밖에 없다.

水	有	관념의 세계(the world of idea)	水幾於道
道	無	사실의 세계(the world of fact)	

앞의 도표와 이 새 도표를 비교해놓고 보면 우리는 매우 당혹감을 느끼게 된다. 그 대응되는 언어가 완전히 정반대로 뒤바뀌

어 있기 때문이다. 그러나 우리는 여기서 이 두 개의 도표를 동시에 오버랩시킴으로서 동·서양을 소통시킬 수 있는 새로운 가능성을 발견하게되는 것이다.

水는 분명 有며, 물리적 사실이다. 그러나 우리가 보통 물리적 사실이라고 말하는 것은 엄밀하게 분석하면, 그것은 이미 언어화된 사실이며, 그 언어는 고착된 질서속에 간혀있다.

道는 無다. 우리의 감관으로 쉽사리 파악할 수 없는 궁극적인 사실의 세계이다. 그러나 이러한 사실의 세계는 우리에게 상징의 체계(symbolic representation)로서 밖에는 드러날 수가 없는 것이다.

우리의 왕필주석에 대한 최종적 해석은 이러하다: 물은 이미 하나의 상징체계이며, 그러한 상징체계는 끊임없이 상징체계를 벗어나 있는 道 즉 無의 세계에 끊임없이 근접할 수는 있을 지언정(幾) 영원히 일치될 수는 없는 것이다. 따라서 우리의 사실인식은 끊임없이 언어의 제약속에 간혀있는 것이다.

인류역사상 『노자도덕경』의 최초의 주해서라 할 수 있는 『한비자』(韓非子)의 「解老」(『老子』를 해석함) 편에는 도와 물에 관하여 다음과 같은 언급이 있다.

萬物得之以死, 得之以生; 萬事得之以敗, 得之以成。道譬諸
若水。溺者多飮之卽死, 渴者適飮之卽生。

만물이 도를 얻어 죽을 수도 있고, 또 도를 얻어 살 수도 있
다. 만사가 도를 얻어 패망할 수도 있고, 또 도를 얻어 성공
할 수도 있다. 도는 비유하건대 물과도 같은 것이다. 물에 빠
진 자가 물을 너무 많이 마시게 되면 곧 죽을 것이요, 심히
목마른 자가 적시에 알맞게 물을 마시면 곧 살아날 것이다.

여기에 왕필이 후대에 "道無水有"라 말한 그 논지의 맥락이
이미 극명하게 드러나고 있다. 제2장의 가치론에서 말했듯이, 도
는 인간의 상대적 가치에 국한되는 그러한 것이 아니다. 萬物의
죽음(死)과 삶(生), 성(成)과 패(敗)는 상황적인 상대적인 현상이
다. 그러나 道는 그러한 상대적인 현상에 국한되는 그러한 성격
의 것이 아니다. 우리나라의 철학자 율곡선생이 말했듯이 물은
동그란 컵에 담으면 동그란 것이요, 세모난 컵에 담으면 세모난
것이다. 그것은 "無自性"이다.

물이라는 物的 현상 그 자체는 상황적 맥락에 따라 전혀 다른

의미맥락을 띠고 우리에게 나타날 수 있는 것이다. 올 여름 폭우가 쏟아질 때, 연천, 문산에 있었던 사람들에게 물이란 결코 노자가 낭만적으로 그리고 있는 그러한 "善利萬物而不爭"하는 의젓한 모습의 것이 아니다. 그것은 폭력이요, 사망이요, 무차별파괴다. 그것은 바로 不仁한 天地의 모습이다. 그러나 사막에서 오아시스를 찾아 헤매는 목마른 대상들에게 물 한방울은 생명이요, 소생이요, 죽음의 퇴치다. 이와 같이 동일한 물체가 상대적 맥락에 따라 전혀 다른 의미를 가지고 나타날 수 있는 것이다. 물은 生과 死, 成과 敗의 일면을 속성으로 해서 나타나는 有이지만, 도는 生과 死, 成과 敗를 초월하는 無인 것이다. 여기 우리는 韓非의 주석과 王弼의 주석의 내재적 맥락의 연속성을 발견하게 되는 것이다.

1. 居善地 :

여기서 地는 아무래도 중성적인 의미의 "땅"이라기 보다는, 겸양의 뜻을 나타내는 "낮음"의 가치가 포섭되어 있는 말로 해석해야 할 것이다. 나는 일찍이 『길과 얻음』에서 이 구절을 "살 때는 물처럼 땅을 좋게 하고"라고 번역했는데, 요번에는 "살 때는 낮은 땅에 처하기를 잘하고"라고 번역하였다. 전자는 善을 "좋게 한다"(to make it good)로 해석한 것이고, 후자는 善을 "잘 한다"(to be good at)로 해석한 것이다. "잘 함"의 가치내용을 "地"가 설명하는 것으로 풀이한 것이다.

2. 心善淵 :

心은 마음가짐이요, 淵은 善(잘 함)의 가치내용이 될 것이다. 淵은 물이 깊이 있어 그윽한 모습이다. 『爾雅』「釋詁」에 "淵, 深也。"라 하였고, 「釋天」에 "淵, 藏也。"라 하였다. 인간의 마음은 그윽한 물과 같이 맑고 깊이가 있어야 한다. 그리고 구룡폭포 밑의 깊은 웅덩이 처럼 많은 것을 담을 수(藏) 있어야 하는 것이다.

3. 與善仁 :

今本은 "與善仁" 혹은 "與善人"으로 되어 있는데, 帛書 乙本에는 이것이 분명하게 "予善天"으로 되어 있다. 와전된 경로를 보면 "天 → 人 → 仁"이 된 것 같은데, "仁"은 분명히 『노자』 텍스트의 오리지날한 모습이 아니고, 후대의 사람들이 유가의 영향을 받아 고친 것으로 간주될 수밖에 없다. 보통 "與"는 벗을 사귀는 것으로 해석된다. 그래서 벗을 사귈 때는 인자(仁)하기를 잘한다는 뜻으로 새기는 것이 통례로 되어있다. 그러나 "與"는 "준다"(to give)로 새길 수밖에 없다. "더불어 한다"(to be with)로 새겨서는 아니될 것이다. 왜냐하면 帛書 두 본에 모두 분명 "予"로 되어 있기 때문이다. "與善仁"은 분명 "予善天"의 글자의 의미와 자형의 유사성에 의한 와전이다. 그런데 "天"은 여기서 "仁"으로 해석할 수가 없다. "予善天"의 의미는 다음과 같다: 물은 만물에게 자기를 잘 주면서도 하늘과 같은 넓은 마음으로 자기가 준것에 거하려 하지 않는다. "功遂身退" (9장)의 하늘과 같은 미덕을 나타낸 말이다.

4. 言善信 :

고대 한자에 있어서 信의 뜻은 믿음이나 신앙(Belief)의 뜻이 없다. 그것은 신험(信驗) 가능하다, 즉 증명가능한 신실한 것이라는 뜻이 그 일차적 함의로 되어 있다. 信은 "verification," "verifiability"의 뜻이다. 인간의 말은 증명될 수 있어야 한다. 신험이 있어야 한다. 그것은 믿음직스러워야 하는 것이다.

5. 正善治 :

古字에 있어서 正과 政은 한 글자이다. 그런데 뜻도 통한다. 政은 정치요 다스림이다. 그런데 다스림이란 곧 사회를 바르게 함(正)이다. 政(Government)은 곧 正(Correction)이요, 正은 곧 政이다.

다스림이란 무엇인가? 그것은 바로 治를 지향하는 것이다. 보통 治를 "다스릴 치"(다스릴티,『石峰千字文』)라고 訓하는데, 실제로 요즈음 말로 다스린다 하는 것은 正(政)이 바르게 해당되는 것이고, 治의 본 뜻은 "다스려짐"이다. 즉 治는 亂(어지러움)과 대립되는 "질서"를 말하는 것이다. 정치란 바로 사회의 질서와 기강을 세우는 것이다. 인간의 본성은 항상 亂한다로 치우치기 쉬우므로 그것을 正(바르게)하여 治한 상태로 가게 하는 것이 곧 정치인 것이다. 질서(Order)를 세우지 못한다면 어찌 다스린 다 할 수 있으리오?

6. 事善能 :

여기 "事"라는 것은 "섬긴다"는 뜻과, 그냥 "일한다" 즉 아르바이트(Arbeit)의 의미가 담겨 있다. 생각해보라! 칼 맑스의 아르바이트의 개념을! 그러나 물의 노동은 단순히 생산을 위한 노동이 아니다. 그것은 생명의 창출을 위한 모든 다양하고도 미묘한 자연의 움직임을 포섭하는 것이다. 물이 없는 세상을 생각해보라! 무엇으로 더러운 것을 씻을 것이며, 무엇으로 만물에게 영양을 공급할 것이며, 무엇으로 문명의 에너지를 일으킬 것인가? 물처럼 능력이 높은 것이 없다. 따라서 물과 같은 사람은 일할 때는 물처럼 능력있게 모든 상황에 대처하는 것이다.

7. 動善時 :

動(움직임)과 時(때)라고 하는 것은 동양사상에 있어서는 빼놓을 수 없는 핵심적 상관개념이다. 움직인다 하는 것은 반드시 때를 바르게 타야하는 것이다. 겨울에 장마가 질 수는 없는 것이다. 장마가 여름에 오는 것은 바로 만물이 물을 머금을 수 있는 때를 맞이하고 있기 때문이다. 겨울에 바위가 물을 먹고 있으면 갈라지게 마련이다. 따라서 저기 저 우뚝 서있는 뫼악도 거저 우두커니 서있는 것이 아니라, 가을이 되면 월동준비를 한다. 여름

내내 머금었던 수분을 내기 시작하고 따라서 가을이 되면서 산 속에서 우러나온 시냇물이 졸졸 흐르기 시작한다. 여름엔 비가 그치면 오히려 계곡에 물이 마르는 것이다. 이와 같이 물은 春夏秋冬 각기 때를 따라 움직인다. 우리 人生도 마찬가지로, 물의 미덕을 터득한 사람은 움직일 때는 반드시 때를 고려하여 움직여야 하는 것이다. 국회의원을 출마할 것인가, 아니할 것인가? 직장을 더 다닐 것인가, 그만 둘 것인가? 이사를 갈 것인가, 말 것인가? 시집을 갈 것인가, 말 것인가? 이 모두가 바른 때를 탈 줄 알아야 하는 것이다.

이 "上善若水"장은 다음과 같은 말로 끝나고 있다: "대저 오로지 다투지 아니하니 허물이 없어라."

역시 노자가 마지막으로 강조하고 있는 물의 덕성은 역시 "不爭"의 미덕이다. 물은 다투지 않는다. 다투지 않으면서도 모든 것에 생명을 부여하고 모든 것을 이롭게 성취시킨다. 우리네 인생도 다툼이 없이 모든 것을 성취할 수 있다면 얼마나 좋을까? 중동 사막문명의 사람들은 본시 사막의 각박한 환경에서 물(水)을 모르고 불(火)만 보고 자랐기 때문에 광포하고 흉포하다 (fierce and fiery). 그래서 그 사막에서 태어난 종교는 마찬가지로 광포하고 흉포하고 불과도 같다. 『성경』의 메타포를 보면 "떨기 불"이니 "불기둥"이니 "심판의 불"이니 "지옥의 불"이니 "성령과 불로 세례를 준다"는 등, 강렬한 불의 이미지를 가지고 있다. 예수의 가르침을 불의 종교라 한다면 노자의 가르침을 물의 종교라 할 수 있을까? 기독교에 의하여 우리의 20세기 개화가 주도되어 왔다면, 이제 한 발자국 물러서서 생각해보자! 불같은 구원의 경쟁(爭)에서 물같은 겸양의 부쟁(不爭)으로 물러서는 지혜도 배워볼만 하지 않은가? 오로지 다투지 아니하니 허물이 없을진저(無尤)!

본 8장은 帛書 甲·乙本에 모두 정연하게 실려 있다. 그런데 현행 王本과 帛本이 차이나는 점을 몇 개 소개하면 다음과 같다.

1. 우선 "上善若水"의 若(같다)이라는 단어의 선택이 다르다.

甲本	上善治水
乙本	上善如水
王本	上善若水

甲本의 "治水"의 治는 "似"의 의미다. 그러므로 "비슷하다"라는 뜻이 된다.

2. 다음 "水善利萬物"은 세 본이 다 공통되지만 그 다음의 "不爭"이 큰 차이를 보인다.

甲本	水善利萬物而有靜。
乙本	水善利萬物而有爭。
王本	水善利萬物而不爭。

甲本의 "有靜"은 의미가 확실하다. 그것은 물의 "정적인" 성격을 나타내는 말이다. "물은 만물을 잘 이롭게 하면서도 고요하다"의 뜻이 된다. 물의 고요함과 만물을 이롭게 하는 동적인 성격이 콘트라스트를 이루고 있다고 해석할 수 있다. 그러나 문제는 乙本이다. 乙本은 일단 "靜"이라는 글자를 베끼는 과정에서 앞의 푸를 靑(청)자를 빼먹어서(誤寫) 爭(쟁)이 되었다고 생각할 수 있다. 그러나 "有靜"은 의미가 통할 수 있지만, 그것의 誤寫인 "有爭"은 노자철학의 맥락에서 전혀 다른 뜻이 되어버

.린다. 그것은 "물은 만물을 잘 이롭게 하면서 만물과 잘 다툰다"는 엉뚱한 뜻이 되어버리기 때문이다. 이것은 어떠한 경우에도 정당화될 수 없는 抄寫의 오류인 것이다. 따라서 王本은 그 "有"를 "不"로 고쳤다. 그래서 "不爭"이 된다. 그렇다면 우리는 抄寫의 오류과정을 通하여 다음과 같이 변천되어 갔다고 추론해 볼 수 있다.

有靜 → 有爭 → 不爭

이것은 초사(抄寫)의 오류과정이 발생시키는 재미있는 의미의 변천의 한 과정을 나타내는 것으로 볼 수 있다. 그러나 미안하게도 이러한 추론은 정당성이 없다. 왜냐하면 같은 장 속, 바로 제일 끝 구절에 중복되는 의미가 있고(夫唯不爭, 故無尤。), 그 텍스트의 모습이 이러한 추론을 정당화시켜주지 않기 때문이다.

甲本	夫唯不靜, 故无尤。
乙本	夫唯不爭, 故无尤。
王本	夫唯不爭, 故無尤。

여기에는 분명 甲本과 乙本이 모두 "有靜" "有爭"이 아닌, "不靜" "不爭"으로 되어 있는 것이다. 역시 노자철학에 있어서 물의 이미지는 그 靜的 성격(static character)에 있는 것이 아니라 처음부터 끝까지 "不爭"의 성격에 있음이 확연이 드러난다. 그렇다면 靜과 爭은 『노자』帛書抄寫 당시에는 同音同義의 다른 글자(異體字)였을 뿐일 것이다. 그리고 앞의 有는 不의 단순한 오류로 간주되어야 한다. 최소한 甲本의 경우 乙本과 抄寫의 전승이 다른 것이므로 그 판본에는 "有靜"의 가능성이 있었을 수도 있다. 그러나 이 의미의 맥락이 결착되는 부분에 "不靜"으로 되어 있음으로 有靜은 역시 "不靜"의 誤寫로 보는 것이 가장 정당하다. 이와 같이 옛사람들이 한 책을 抄寫할 때 상당히 "엉성하게" 책을 베꼈다는 것을 알 수 있다. 아마도 요즈음의 일본 匠人정도만 되어도 이런 오류는 발생하지 않았을 것이지만, 중국사람은 역시 馬馬虎虎(적당적당)한 구석이 많다. 그러한 단순한 초사의 오류를 가지고 대단한 학설을 펴는 것은 별 의미가 없다. 이런 것들이 모두 『노자』 판본을 펴놓고 들여다 보면 재미있게 읽혀질 수 있는 휴먼 드라마인 것이다.

그런데 이 물의 비유, 老子의 道를 말하는 데 없어서는 아니될 이 물의 비유를 말하는 8장이 竹簡에 있는가, 없는가? 있는가? 없다 !

『老子』 전체 여든 한 장 속에는 물을 비유로 해서 말한 장들이 이 8장 말고도 또 많이 있다. 정말 『노자』에게서 물의 상징이란 빼놓을 수 없는 것이다. 그렇다면 물의 상징성을 담은 다른 장들은 죽간에 나타나는가? 신비롭게도 죽간에는 그런 장들이 모두 빠져있다. 극히 간접적인 비유로 연결지을 수 있는 내용을 제외하고는 물에 관한 언급은 죽간에 일체 나타나지 않는다. 그럼 우리는 이런 가설을 세워볼 수 있다: **노자의 "물의 비유"는 『노자』라는 서물의 고층대에 속하지 않는다. 물과 도의 상징적 연관은 어떠한 "물의 철학"의 학파의 사상과 『노자』가 결합함으로써 전국시대 후기에 형성된 것이다.**

이러한 가설은 분명 설득력이 있다. 그러나 이것은 매우 위험한 가설이다. 이러한 가설을 반증할 수 있는 논리는 무수히 가능하기 때문이다.

첫째, 현대 郭店竹簡은 抄寫本일 뿐이며, 당시에 抄寫의 대상이 된 『노자』라고 하는 어떠한 프로토텍스트가 별도로 존재하고 있었고, 또 그 프로토텍스트 자체가 甲·乙·丙 모두 다른 전승의 것이라고 상정할 수 있기 때문이다(이것은 문자학적으로나 의미론적으로 거의 확실시될 수 있는 가설이다).

따라서 곽점죽간에 나타나지 않는다고 해서 그 나타나지 않는 부분이 곽점죽간 당대에 존재하지 않았다고 단정지을 수는 없다는 것이다. 따라서 물에 관한『노자』의 부분이 다른 전승으로서 별도로 존재했을 수도 있다는 것이다.

둘째로, 이러한 문제를 더욱 복잡하게 만드는 하나의 거대한 사건이 있다. 곽점죽간『노자』는 앞서 말했듯이 甲·乙·丙의 三組로 이루어져 있다. 그런데 丙組의 끝부분에『老子』丙組와 분리할 수 없는 14개의 죽간이 붙어 있는데 그 내용이 현재의 『노자』본 속에 들어있지 않은 생소한 내용인 것이다. 그런데 이 문자가 "太一生水"(우주의 원질인 太一이 물을 낳았다)라고 하는, 마치『요한복음』첫구절을 연상케 하는 그런 오묘한 말로 시작하고 있어 이 14개의 죽간을 학계에서 편의상『太一生水』(지금은 책명으로 통용되고 있다)라고 부른다.

지금 이『태일생수』편을 놓고 학계에는 다양한 가설들이 난무하고 있다. 그 내용이 우리가 선진문헌에서 보기 어려운 우주발생론(Cosmogeny)의 매우 체계적인 그랜드한 내용을 담고 있기 때문이다. 이 14개의 죽간은 兩端이 平齊하며, 길이가 26.5㎝에 달하는 것으로 그 形制와 書體가『老子』丙組와 완전히 동일하다. 그리고 丙組와『태일생수』가 따로 떨어져 있는 것이 아니라 같이 연속해서 묶여있는 "合編"인 것이다. 혹자는 이『太一生水』자체가『老子』丙組의 一部라고 주장하기도 한다. 즉『太一

生水』가 『老子』의 일부였다는 것이다. 하여튼 이러한 주장의 타당성을 왈가왈부하기 전에, 『太一生水』는 죽간 『老子』와 동일한 계열의 사상체계를 이루는 당대의 道家 문헌임에는 틀림이 없는 것이다. 그런데 이 문헌의 주제가 바로 "물"(水)이라는 놀라운 사실이다. 그렇다면 곽점죽간시대에 『老子』사상 속에 "물의 사상"이 없었다는 가설은 성립할 수가 없는 것이다. 물에 대한 보다 포괄적인 우주론적 사유가 이미 전국초기에 형성되어 있었다는 결론에 이르게 되는 것이다. 『太一生水』의 문헌학적 성격에 관하여 내가 확고한 견해를 제출하기까지는 좀 더 시간이 걸릴 것이다. 당대의 문헌과의 충분한 비교검토의 과정을 요하는 것이다. 단지 이 자리를 빌어 독자들의 궁금증을 해소하기 위하여 그 도입부분의 언어를 정확한 우리말 해석과 함께 여기 싣는다.

太一生水, 水反輔太一, 是以成天。天反輔太一, 是以成地。天地(復相輔)也, 是以成神明。神明復相輔也, 是以成陰陽。陰陽復相輔也, 是以成四時。四時復輔也, 是以成滄熱。滄熱復相輔也, 是以成溼燥。溼燥復相輔也, 成歲而止。(여기 쓰인 문자는 교정을 거쳐 오늘 통용되는 글자로 고친 것이다).

太一은 물을 낳는다. 생하여진 물은 생하는 太一을 오히려 도운다. 그리하여 하늘을 이룬다. 하늘 또한 자기를 생한 太一을 오히려 도운다. 그리하여 땅을 이룬다. 이 하늘과 땅이 다시 서로 도와서 神明을 이룬다. 神과 明이 다시 서로 도와

서 음양을 이룬다. 음과 양이 다시 서로 도와서 네 계절을 이
룬다. 춘·하와 추·동이 다시 서로 도와서 차거움과 더움을
이룬다. 차거움과 더움이 다시 서로 도와서 습함과 건조함을
이룬다. 습함과 건조함이 다시 서로 도와서 한 해를 이루고
이로써 우주의 발생이 종료된다.

　이것은 분명 소박하지만 우주의 발생을 말하고 있는 매우 체
계적인 우주론의 한 전형이다. 우리는 중국인의 우주발생론을
말할 때는, 흔히 주자학의 원류라 할 수 있는 송나라 초기의 대
유학자 주렴계(周濂溪, 1017~1073)의 『태극도설』(太極圖說)을
연상하지만, 그것은 보통 불교의 우주론적 인식론이 들어온 후,
그것에 의하여 계발된 후기 도교의 어떤 도식에 의하여 흥기한
이론이라고만 생각해왔다. 그런데 그러한 발생론적 우주론이 명
료하게 先秦문헌에서 발견되었다는 것은 사실 유례가 없는 사건
이다. 『태극도설』의 앞 글을 소개하면 다음과 같다.

　　無極而太極。太極動而生陽, 動極而靜。靜而生陰, 靜極復
　　動。一動一靜, 互爲其根。分陰分陽, 兩儀立焉。陽變陰合,
　　而生水火木金土。五氣順布, 四時行焉。五行一陰陽也, 陰
　　陽一太極也, 太極本無極也。

　　무극이면서 태극이 있도다! 태극이 움직이여 양을 낳고, 그
　　움직임이 극에 달하면 고요하게 된다. 태극이 고요하면 음을
　　낳고, 그 고요함이 극에 달하면 다시 움직인다. 한번 움직이

고 한번 고요한 것이 서로 뿌리가 된다. 그렇지만 음으로 나뉘고 양으로 나뉘어져 두 극이 세워진다. 양이 변하면 음이 그에 합하여져서 수·화·목·금·토를 낳는다. 다섯 기가 골고루 배포되어 네 계절이 성립하게 되는 것이다. 오행도 결국 하나의 음·양이다. 음·양도 결국 하나의 태극이다. 태극은 본래 무극인 것이다.

이 『태극도설』의 도식을 간략히 그려보면 다음과 같다.

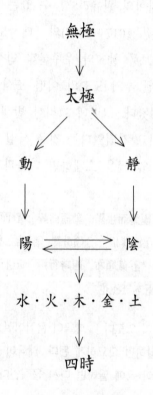

물론 이 간단한 도식과 언사속에는 일반독자들이 헤아리기 어려운 엄청난 논쟁들이 숨어있다. 新儒學(Neo-Confucianism)이라고 부르는 宋·明유학 전체가 바로 이 한 도설(圖說 : 원래 "태극도"라는 그림[圖]이 있고, 그 그림을 설명한[說] 것이다) 하나에서 연화(演化)된 것이라 말하여도 조금도 지나친 말이 아니다. 우리나라의 조선조문명이 이 한 구절에서 태어났다고 해도 조금도 과언이 아니다. 그런데 이 도식의 개념의 연쇄를 살펴보면 자그만치 2,300년 동안을 땅속에 숨어 있다가 1993년에나 우리 육안에 드러난 이 신비스러운 죽간자료, 『태일생수』와 모종의 유사성을 발견한다.

無極 → 太極 → 動靜 → 陰陽 → 五行 → 四時

『태극도설』의 도식적 설명은 분명 어떤 일방적인 시간의 흐름을 전제로 하고 있다. 그러나 그 흐름의 종착역이 바로 "四時"라고 하는 이 사실에 그동안 대부분의 『태극도설』의 논쟁자들이 주목을 기울이지 않았다. 그러나 분명 『태극도설』의 우주발생론적 흐름은 "四時"(네 계절)에서 종료되고 있는 것이다.

그런데 재미있는 것은 『태일생수』의 우주발생론의 終句가 바로 "成歲而止"(습함과 건조함이 다시 서로 도와서 한 해를 이루고 이로써 우주의 발생이 종료된다)로 끝나고 있다는 사실인 것이다. 이것은 과연 무슨 소린가?

동양인들에게 있어서 우주의 발생이란 우리가 보는 물리적 환경이나 물체, 즉 萬物의 창조를 의미하지 않는다. 누누이 말했듯이 동양인들이 말하는 "物"이란 고정된 "것"이 아니라 동정(動靜)의 "과정"일 뿐이다. 그것은 유대인들이 「창세기」에서 말하는 식의 창조의 대상이 아니다. 그들은 불행하게도 物을 實體로 파악했기 때문에 物아닌 어떤 것에 의하여 그 物이 창조되어야 한다고 생각했다. 그러나 우리 동양인들에게는 物이란 근원적으로 창조의 대상이 아니다. 萬物이란 天地의 끊임없는 과정에서 생겨나는 객형(客形)일 뿐이요, 그것은 끊임없이 생멸(生滅)하는 과정태(過程態)일 뿐이다. 그러면 창조의 대상은 무엇인가? 창조는 바로 "시간"의 창조인 것이다. 변화하는 "시간"의 창조인 것이다. 만물의 생성을 질서지우고 있는 시간의 창조인 것이다. 따라서 "太一"로부터 시작되는 전 과정이 "歲"로 끝나고 있다는 이 사실은 곧 세(1년)라는 시간의 완성을 뜻하는 것이다. 여기서 말하는 "세"는 물리적 시간이 아니요, 바로 생명적 시간인 것이다. 그것은 크로노메타로 재어질 수 있는 그러한 시간이 아니라, 삶의 시간(the Time of Life)인 것이다. 그런데 이 시간을 누가 창조하는가? 이 시간의 창조자가 「창세기」에서는 "하나님"이요, 「요한복음」에서는 "말씀"이다. 서양인들이 말하는 창조주는 바로 "로고스"(λόγος)인 것이다. 그것은 곧 인격적 하나님의 말씀이다. 그러나 『太一生水』는 말한다. 시간의 창조주는 **로고스**가 아니라, **물**이다. 물이 곧 시간이요, 시간이 곧 물이다. 물이 곧 생명이요, 생명이 곧 물이다. 시간이 곧 생명이요, 생명이 곧 시간이다.

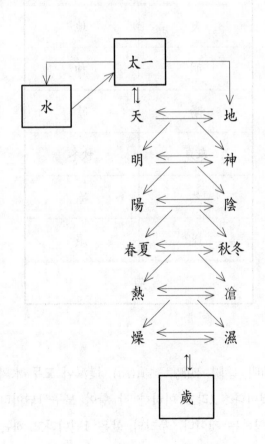

『太一生水』의 도식에 있어서는 우리가 생각하는 우주의 주요 대립개념이 모두 물의 시간(변화)의 측면들일 뿐이다.

水	
天	地
明	神
陽	陰
春夏	秋冬
熱	滄
燥	濕
歲	

　天地, 神明, 陰陽, 四時, 熱滄(冷), 燥濕이 모두 水의 변화태일 뿐인 것이다. 그리고 이러한 각 항이 모두 1년이라고 하는 시간을 완성하는 것이다. 우리의 삶은 1년이라고 하는 시간을

단위로 해서 순환하는 것이다. 그러므로 1년은 우리 삶의 시간의 전부이다. 창세와 종말이라고 하는 더 이상의 시간의 스트레치(직선적 연장)를 가질 필요가 없다.

우리가 『태극도설』에서 중시해야 할 것은 바로 "一動一靜, 互爲其根"이라는 이 한마디다. 즉 太極의 動과 靜에서 양과 음이 생겨나지만, 이 動(움직임)과 靜(고요함)은 1회적 사건이 아니라, 끊임없이 반복되는 "과정"(Process)으로서 서로가 서로의 뿌리가 된다는 것이다. 일자가 실체적인 뿌리로 고정되어 있어서, 그 뿌리에서 가지로 일방적으로 뻗어가는 것이 아니라는 것이다. 서로가 서로의 뿌리가 된다는 것이다.

動	靜
陽	陰
뿌리	가지
가지	뿌리

동과 정, 음과 양의 이러한 互根的 성격, 相輔的 성격이 재미

있게도 『태일생수』에는 모든 생성의 단계에 명료하게 적용되고 있다는 것이다. 즉 모든 시간의 방향성이 **일방적**이 아니라 **쌍방적**이라는 것이다.

"太一"은 복잡한 해설이 필요없다. 『老子』 자체 텍스트 속에도 "一"의 개념이 계속 나온다. "一"에다가 크다고 하는, 그 근원성과 포괄성의 의미를 나타내는 "太"를 붙이는 것은 인간사유의 공통적 특성이다. 모든 고대문명의 신화적 언어에 공통적으로 나타나는 것이다. "太一"은 한마디로 노자가 말하는 "道"의 별칭이다. 그것은 "하나님"이요 "하느님"이다. 그러나 太一은 생성의 주재자가 아니요, "무로부터의 창조"(*creatio ex nihilo*)를 지시할 수 있는 초월적 말씀이 아니다. 太一은 常이요 變이요 우주의 實相이다. 따라서 太一이 水를 생했다 해서 太一이 창조주가 되고 水가 피조물이 되는 그러한 논리는 쌍방적 관계에서는 성립할 수가 없다.

하나님이 이 세계를 창조한다면, 동시에 이 세계는 하나님을 창조하고 있는 것이다. 하나님이 창조주요 인간이 피조물이라고 한다면, 인간이야말로 창조주요 신이야말로 피조물이다. 하나님이 무제약자요 인간(세계)이 제약자라고 한다면, 인간이야말로 무제약자요 하나님은 제약자다. 하나님이 초월자요 인간이 내재자라고 한다면, 인간이야말로 초월자요 신이야말로 내재자이다.

하나님이야말로 유일자요 인간이 多者라고 한다면, 인간이야말로 유일자요 하나님은 多者인 것이다. 도대체 인간으로부터의 피드백이 없는 추상적 개념으로서의 神이라는 것, 道라는 것은 도무지 허깨비에 불과한 것이다. 하나님(God)과 세계(the World), 道와 萬物의 관계는 일방적일 수 없는 것이며, 쌍방적일 수밖에 없는 것이다. 어떻게 학생으로부터의 피드백이 없는 일방적으로 가르침을 주기만 하는 "선생"이라는 것이 가능할 수 있겠는가? 군림하고 받는 것 없이 주기만 하는 선생은 곧 허깨비선생이 되고 말 것이다. 살아있는 선생이 아니라, 죽어있는 이름뿐인 추상체가 되고 말 것이다. 내가 교실에서 학생들을 가르친다고 하는 행위의 모든 순간 순간에 氣의 交感(교감)이라고 하는 피드백이 이루어지고 있는 것이다. 神과 세계(God and the World), 신과 인간(God and the Man)의 관계가 모두 그러한 것이다. 신은 칸트가 말하는 물자체(Ding-an-sich)가 아니라, 끊임없이 현상으로부터 그 생성의 원인을 제공받는 과정체인 것이다.

太一은 물을 生하지만, 피조물인 물은 거꾸로 창조주인 太一을 生한다. 이렇게 상호적인 창조(Mutual Creation)의 관계를 『태일생수』는 "反輔" "復相輔"라 부르고 있다. 현대물리학에서도 A라는 소립자가 B라는 소립자를 생성시킨다고 하는 사건은 곧 B라는 소립자가 A라는 소립자를 생성시킨다고 하는 것과 동일한 사건이 되는 것이다. 그것은 일방적인 시간 위에서 실체화 될 수 없는 것이다. 있는 것이 없는 것이요, 없는 것이 곧 있는 것이다. 有無相生인 것이다.

$$A \rightleftharpoons B \rightleftharpoons C \rightleftharpoons D \rightleftharpoons E \rightleftharpoons F$$

이와 같은 A로부터 F까지의 과정은 한 과정의 단계가 한 시간의 단위로서 분리될 수가 없다. A와 B의 관계, B와 C의 관계, C와 D의 관계, D와 E의 관계, E와 F의 관계, 이 모든 관계들이 착종된 하나의 전체를 형성할 뿐이다. A는 또다시 B, C, D, E, F와 착종될 것이요, B는 또 다시 A, C, D, E, F와 착종될 것이요, …… 모든 항목은 모든 항목과 동시적으로 착종될 것이다. 이러한 착종의 관계를 『태일생수』는 "復相輔"라고 부르고 있는 것이다.

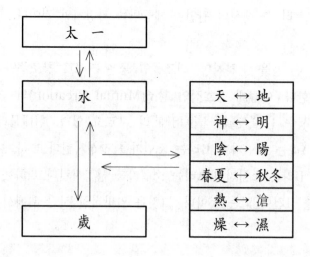

이와 같이 모든 相補的 관계는 착종되어 있는 것이다. 여기 寒
(=冷=滄) 熱, 燥濕이 언급되어 있는 것은 수분의 변화상태를
나타내는 것으로 계절이라고 하는 시간의 변화상과도 관련되지
만 나중에 이것은 "五運六氣"의 사상으로 발전하는 모태사상임
을 알 수 있고,『傷寒論』 등의 한의학적 인체관의 프로토 모델
이 되는 사상유형임을 알 수가 있는 것이다. 그리고 이러한 문
제, 특히 한의학적 인체관과 관련된 우주모델의 水論的 성격을
나타내는 古代문헌이 하나 있는데, 이것이 바로『管子』라는 방
대한 書物속에 수록되어 있는「水地」라는 일편이다.「水地」편
의 성립이 많은 학자들이『太一生水』보다 앞서는 것으로 보고
있으나, 나는 그 선후를 가리기 어렵다고 본다.『太一生水』의
성립을「水地」편의 영향으로 볼 수만은 없다는 것이다. 그러나
이 두 편은 대강 동시대에 성립한 것이 거의 확실하며 얼마나
중국고대인들이 우주론적으로 "물"을 중시했는가를 알 수 있다.
물이 시간의 창조자요, 하나님의 로고스적 기능을 가진 것이라
고 한다면, 인간이 오늘과 같이 물을 홀대할 수 있을까? 교회에
걸려있는 십자가보다 물이 더 성스럽고, 그들이 경배하는 하나
님보다 물이 더 神的이라고 한다면 과연 오늘날과 같은 몰상식
한 "물의 학대・천시"가 있을 수 있겠는가?

地者, 萬物之本原, 諸生之根菀也。 美・惡, 賢・不肖，愚・俊之所生也。水者，地之血氣，如筋脈之通流者也。故曰水具材也。何以知其然也? 曰，夫水淖弱以淸，而好灑人之惡，仁也。視之黑而白，精也。量之不可使槪，至滿而止，正也。唯無不流，至平而止，義也。人皆赴高，己獨赴下，卑也。卑也者，道之室，王者之器也。而水以爲都居。準也者，五量之宗也。素也者，五色之質也。淡也者，五味之中也。是以水者，萬物之準也。諸生之淡也。違非得失之質也。是以無不滿，無不居也。集於天地，而藏於萬物，産於金石，集於諸生，故曰水神。

땅(地)이라는 것은 만물의 본래 근원이요, 모든 생명이 태어나는 뿌리요 터전이다. 아름다움과 추함, 선과 불선, 어리석음과 현명함이 모두 여기서 생겨나는 것이다. 물(水)이라는 것은, 땅의 피(血)요, 기(氣)다. 그것은 우리의 몸에 근육과 혈맥이 있어 모든 것을 소통시키고 흐르게 해주는 것과도 같다. 그러므로 물이야말로 모든 가능성(材)을 구비하고 있다고 말하는 것이다. 어째서 그러함을 우리는 알 수 있는가? 말한다 ! 대저 물은 부드럽고 유약하여 깨끗하기 때문에, 인간의 모든 더러움을 씻어주기를 좋아하니, 인자하다고 말할 수 있는 것이다. 그리고 우리가 깊은 물을 쳐다보면 검푸르지만 손바닥에 떠서 보면 무색투명하다. 이것이 물의 청순하고 정미로운 성질이다. 물을 됫박에 잴 때 위를 고르는 막대기를 쓰지 않아도, 그것은 됫박에 차면 스스로 멈춘다. 이것이 물

의 바른 미덕이다. 물은 차이가 있을 때는 흐르지 않는 법이
없다. 그러나 평균에 이르게 되면 스스로 멈춘다. 이것이 물
의 의로움이다. 사람은 모두 한결같이 위로 가기를 좋아한다.
그러나 물은 자기 홀로 항상 밑으로 간다. 이것이 물의 겸양
(낮춤)의 미덕이다. 낮춤(겸양)이라는 것이야말로 道가 깃드
는 곳이요, 왕자의 그릇이다. 물은 진정코 항상 낮은 곳으로
모이는 것이다. 수평(재는 기구)이야말로 모든 형량의 으뜸이
다. 물의 무색이야말로 모든 색깔의 바탕이다. 물의 담박함이
야말로 모든 맛의 중용이다. 그러므로 물이야말로 만물의 기
준이며, 모든 생명을 살리는 담박한 체액이며, 모든 시비와
득실의 바탕이다. 그러하므로 물은 채우지 아니함이 없고, 가
지 않는 곳이 없다. 물은 하늘과 땅에 가득차며, 만물 어느
것에도 깃들지 아니함이 없고, 쇳덩이·돌바위에도 생하지
아니함이 없고, 모든 생명을 활성화시키지 아니함이 없다. 그
래서 우리는 물을 물하느님(水神)이라 부르는 것이다.

　이 웅장한 「수지편」의 물의 예찬의 서사시를 읊어보라 ! 이
제 독자 여러분들은 노자의 물이 고대인들의 어떠한 우주론적
생각의 틀속에서 태어난 것인지 짐작할 수 있을 것이다. 물은 물
이 아니다. 물은 곧 神인 것이다 ! 水神의 예찬 ! 우리가 너무
도 우리의 일상적 삶의 체험속에서 잃어버린 기도요 믿음의 송
가가 아니던가? 물은 곧 하느님이다 ! 물은 萬物之準이요, 諸
生之淡이요, 是非得失之質이다. 어찌하여 이 하느님을 그다지

도 천시하고 학대하고 못살게 구는가? 현대인들이여 !

현대 생화학의 지식을 동원해 보아도 지구의 진화의 역사는 물의 진화의 역사다. 생명이 곧 물에서 탄생한 것이다. 생명이란 세포막을 통하여 물의 삼투성을 조절하는 기능에서부터 시작된 것이다. 우리의 몸은 곧 물의 순환의 체계이다. 우리의 피가 곧 물이요, 예수가 우리의 죄를 위하여 흘린 대속의 피가 곧 물이다. 어찌하여 이러한 물을 그다지도 성스럽지 않게 바라볼 수 있는가? 우리나라 민중의 철학을 대변한 동학의 聖者, 해월 최시형선생의 이 한 말씀을 다시 한번 새겨보자: "하늘과 땅이 모두 하나의 물 덩어리다. 물이라는 것이야말로 만물의 어미다. 모든 종교의 제식은 청수 한그릇으로 족하니라 ! "

나는 이 "上善若水"의 8장을 해설함에 있어서 우리 고대인들의 물과 관련된 자료를 몇가지 나열하였다. 그러나 이것은 아주 소박한 자료의 나열에 불과하다. 이것을 앞으로 연구하려면 다양한 가설과 깊은 생각이 필요하다. 『노자』라는 서물의 세계는 이와 같이 무궁하다. 우리나라의 젊은 학도들이여 ! 컴퓨터 자판만 두드리고 있지 말고, 이렇게 무궁하게 재미있는 고전의 세계에 한발자욱 한발자욱 심취해봄이 어떠할지 ! 한문의 어학실력을 길러 이러한 고문헌의 세계를 마음대로 여행할 수 있는 사람들이 되어주기를 빌고 또 고대하나이다.

九章

持而盈之, 不如其已;
지이영지, 불여기이;

揣而梲之, 不可長保;
취이절지, 불가장보;

金玉滿堂, 莫之能守;
금옥만당, 막지능수;

富貴而驕, 自遺其咎。
부귀이교, 자유기구。

功遂身退,
공수신퇴,

天之道。
천지도。

아홉째 가름

지니고서 그것을 채우는 것은

때에 그침만 같지 못하다.

갈아 그것을 날카롭게 하면

오래 보존할 길 없다.

금과 옥이 집을 가득 메우면

그를 지킬 길 없다.

돈많고 지위높다 교만하면

스스로 그 허물을 남길 뿐이다.

공이 이루어지면

몸은 물러나는 것,

하늘의 길이다.

説老 『장자』라는 서물은 우리나라의 젊은이들도 그 이름은 들어 익히 알 것이다. 『노자』와 더불어 같은 계열의 지혜의 서로서 병치(並置)되기 때문에 흔히 우리는 이 두 권의 책의 사상을, 그 앞머리 글자를 따서 "노장사상"이라고 부르는 것이다.

노장 = 노자(老子) + 장자(莊子)

장자 역시 노자와 같이 그 역사적 실존성이 의심시되는 애매한 인물이지만, 최소한 오늘의 『장자』라고 하는 서물의 어떤 오리지날한 고층대 파편의 저자로서의 그 누구가 실존했으리라는 가설은 정당할 수 있다. 그러나 오늘 우리가 보는 『장자』라는 책은 분명 오랜 세월을 거쳐 형성된 전집(anthology)과 같은 것으로 戰國時代로부터 漢代까지의 문헌을 포통하고 있다. 장자학파의 대선집이라고 생각하면 이해가 쉬울 것이다.

최근까지도 『노자』와 『장자』의 관계에 대한 제설이 난무하였다. 심지어 『노자』가 『장자』이후에 성립한 책이라고까지 주장한 대석학들이 많았으나, 최근 竹簡의 발굴은 이러한 논의를 완전히 불식시켰다. 『장자』는 분명 『노자』의 사상이 발전되어, 장자라는 어떤 실존인물을 낳았고, 그 실존인물의 학풍을 중심으로 여러 전승이 다시 시작되었고 그것이 후대에 편집된 것이 오늘 우리가 보는 『장자』라는 희대의 지혜의 서라고 보라면 별 탈이 없을 것이다.

『노자』는 논설이다. 노자는 한 인간의 사유의 결정으로서의 주장을 체계적으로 편 책이다. 그러나 『장자』는 좀 성격이 다르다. 노자가 말한 철학적 사유를 다양한 이야기를 통해 펼친 것이다. 『노자』를 펼치면, "도를 도라 하면 늘 그러한 도가 아니다"라고 시작하지만, 『장자』를 펼치면, "옛날옛날에 북쪽바다에 물고기가 있었다"라고 시작한다. 그 성격의 차이를 쉽게 짐작할 수 있을 것이다. 그러나 『장자』는 『노자』의 사상을 보다 폭 넓게 이해할 수 있도록 만들어 주는 위대한 이야기책임에 틀림이 없다.

그 『장자』라는 책 「대종사」(大宗師)라는 편에 다음과 같은 이야기가 있다. 꼭 그대로는 아니지만 어려서 내가 외할아버지께 들은 기억대로 재미있는 한 이야기를 여기 전하려 한다.

어떤 부자가 코이누르(Koh-i-noor, 세계에서 가장 오래 되고 거대한 다이아몬드)와도 같은 어마어마하게 값진 보석을 손에 넣게 되었다. 그래서 그는 이것을 감추기 위해 벼라별 지혜를 다 짜아냈다. 우선 그는 세상에서 가장 단단한 금고를 장만했다. 무쇠를 겹겹으로 싸서 만든 엄청난 금고였다. 그 금고를 다시 어마어마한 철문방에 집어넣고 잠그었다. 그리고 집을 다시 단단한 철책문으로 싸았고, 다시 어마어마하게 높은 담벼락을 둘러쳤다. 그리고 그것도 모잘라 그는 이 집을 큰 강 한복판에 있는 섬속에 지었던 것이다. 천연의 호(濠)를 이용한 셈이다. 그 부자는 이제는 분명 안심할 수 있으리라고 생각했다. 당대의 도둑 기술로써는 이러한 천혜의 장벽을 뚫을 길은 없었기 때문이었다.

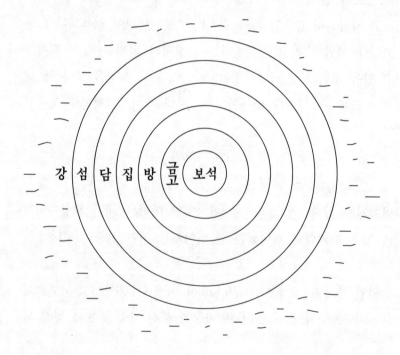

그런데 이변이 생겼다. 어마어마한 거인도둑놈이 어느 날 섬 채 들고 달아나 버린 것이다!

물론 이것은 하나의 메타포다. 그러나 바로 이 이야기의 주제 는 天下에 우리가 진정으로 감출 수 있는 것은 아무것도 없다 는, 너무도 쉽고 명명백백한 사실을 재미있게 전달해 주고 있는 이야기인 것이다. 라스포사(옷로비)의 이야기도 작은 것을 감추 려다 큰 것을 잃고마는 이야기의 한 전형인 것이다. 요즈음 우리 사회에 이런 이야기가 돈다: 부인이 한번 옷을 잘못 입으면 남 편이 옷을 벗는다.

그래서 장자는 말한다:

若夫藏天下於天下, 而不得所遯, 是恒物之大情也。

천하를 천하에 감추어라!
그리하면 숨길 바가 없을 지니.
이것이 만물의 큰 이치로고!

나는 어려서 이 이야기를 한학에 능하신 외할아버지로부터 들 었다: "천하를 천하에 감추어라!" 이 얼마나 장쾌한 이야기인 가? 어렸을 때, 이 한 이야기를 진정으로 깨닫는다면 그 인간의 삶의 태도가 어떻게 형성될 것인가? 한번 잘 생각해보라 ! 아무리 금·옥이 집안에 가득 차도, 그것이 없어질려면 하루아침에 사라지고 마는 것이다. 금·옥을 지키는 것은 철책이 아니요, 세콤이 아니다. 금·옥을 지키는 무기는 바로 나의 삶의 가치관 속에 내재하는 것이다. 『노자』의 아홉째 가름은 바로 이 "藏天下於天下"의 설화의 모태를 이루는 사상의 논설인 것이다.

1. 持而盈之, 不如其已 :

채우는 것(盈)은 때에 그침(已)만 못하다는 것은 바로 虛의 사상에서 도출된다.

2. 揣而梲之, 不可長保 :

揣(취)를 "갈다"라고 해석하면 梲(절)은 분명 "날카롭게 한다"는 뜻이 될 것임으로, 이것은 銳(예)의 誤寫로 간주해야 할 것이다. 칼이 무딘 것과 날카로움을 비교해보면, 항상 날카로운 것은 무딘 방향으로 자연스럽게 진행한다. 무딘 것이 날카로운 것에 비해 虛가 더 많은 것이다.

날카로움	무딤
虛가 적다	虛가 많다

날카로움은 무딘 것보다 오래 보존되기가 어려운 것이다. 인간의 성격도 너무 날카로운 사람은 虛가 없어 자신을 들볶게 마련이다. 에도의 검객 미야모토 무사시(宮本武藏, 1584~1645)가 무딘 목검으로 당대의 최고 검객 사사키(佐佐木小次郞)의 날카로운 진검을 쓰러트린 이야기도 결국 이 노자의 虛의 사상을 무술에 적용시킨 대표적인 사례중의 하나인 것이다.

그런데 이 구절이 죽간 甲本에 "湍而群之, 不可長保也。"로 되어 있다. 이 죽간의 문자를 충실하게 해석하면 "여기저기 긁어 모아(湍) 쌓아 두면(群), 오래 보존할 수 없다"의 뜻이 된다. 帛書 乙本에는 "掚而允之"로 되어 있는데 그 의미는 王本에 가까운 것으로 보아야 할 것이다. 하여튼 "湍而群之"→"掚而允之"→"揣而梲之"의 변천과정은 誤寫와 의미의 변천과정을 시사한다.

3. 金玉滿堂, 莫之能守 :
이 구절은 장자의 고사를 빌어 이미 충분히 說하였다.

4. 富貴而驕, 自遺其咎 :
옛말에 "富"라는 것은 경제적 부(economic wealth)를 말한다. "貴"라는 것은 옛 관료체제에 있어서 벼슬의 높음(high position)을 의미한다. "부귀"를 정확히 번역하면 "Wealth

and Power," 즉 부와 권력이다. 그런데 인간의 부와 권력에 항상 같이 따라 다니는 요물이 하나 있다. 그것이 바로 교만(驕, Pride)이라는 것이다. 교만은 반드시 화를 자초한다. 이것은 人世의 정리요, 역사의 정칙이다. 교만은 반드시 스스로 허물을 남기게 되는 것이다. 평생 남을 정죄하기만 하고 살아온 검찰총장도 가벼운 일로 정죄당하는 부끄러운 허물을 남길 수 있는 것이요, 빛고을의 양민들을 학살하여 고귀한 지위에 오른 사람도 결국 영어(囹圄)의 사람이 되고 마는 것이다. 우리 역사는 그래도 노자가 말하는 道의 이치를 실천해가고 있는 것이다.

5. 功遂身退, 天之道 :

공이 이루어지면 몸은 물러난다는 것은 바로 2장에서 말한 "功成而弗居"의 다른 표현이다. 바로 그러한 모습은 인간이 실천해야 할 도덕성인 동시에, 천지자연의 스스로 그러한 길(天之道)이다. 노자에게 있어서 졸렌(Sollen, 가치)은 항상 자인(Sein, 사실)의 어떤 측면에서 우러나오고 있는 것이다.

이 아홉째 가름은 竹簡 甲本의 맨 끝에 붙어 있는데 오늘날의 王本의 모습과 대차가 없다. 이 9장처럼 비교적 비개념적이고 평이하고 서술적인 이러한 장이 『노자』의 고층대를 형성하고 있었다는 것을 알 수 있다.

十章

載營魄抱一,
재영백포일,

能無離乎!
능무리호!

專氣致柔,
전기치유,

能嬰兒乎!
능영아호!

滌除玄覽,
척제현람,

能無疵乎!
능무자호!

愛民治國,
애민치국,

能無知乎!
능무지호!

天門開闔,
천문개합,

能無雌乎!
능무자호!

열째 가름

땅의 형체를 한 몸에 싣고

하늘의 하나를 껴안는다.

그것이 떠나지 않게 할 수 있는가?

기를 집중시켜 부드러움을 이루어

갓난 아기가 될 수 있는가?

가믈한 거울을 깨끗이 씻어

티가 없이 할 수 있는가?

백성을 아끼고 나라를 다스림에

앎으로써 하지 않을 수 있는가?

하늘의 문이 열리고 닫힘에

암컷으로 머물 수 있는가?

明白四達,
명백사달,

能無爲乎！
능무위호！

生之,
생지,

畜之。
축지。

生而不有,
생이불유,

爲而不恃,
위이불시,

長而不宰,
장이부재,

是謂玄德。
시위현덕。

명백히 깨달아 사방에 통달함에

함으로써 하지 않을 수 있는가?

도는 창조하고,

덕은 축적하네.

낳으면서도

낳은 것을 소유하지 않고,

지으면서도

지은 것을 내뜻대로 만들지 않고,

자라게 하면서도

자라는 것을 지배하지 않네.

이것을 일컬어

가믈한 덕이라 하네.

説老 이 장은 성격이 매우 추상적이고 서술적이며 그 의미맥락이 매우 다양하여 편하게 해석이 되질 않는다. 물론 텍스트비평의 관점에서 보면 고층대에 속하기 어려운 프라그먼트임을 쉽게 알 수 있다. 곽점 죽간에는 물론 나타나지 않지만, 놀라웁게도 帛書 乙本에 거의 王本의 내용이 그대로 다 실려 있다. 약간의 문자의 出入(차이)이 있을 뿐이다.

1. 載營魄抱一, 能無離乎 :

인간의 몸은 하늘과 땅의 묘합이다. 몸의 하늘을 魂(넉, 『훈몽자회』)이라 부르고, 몸의 땅을 魄(넋, 『훈몽자회』)이라 부른다. 우리말에 "혼났다," "넋 잃다," "넋이 빠졌다," "넋이 나갔다" 등의 표현은 잠시 혼이 백에서 분리되는 현상을 뜻하는 것이다. 『훈몽자회』는 "魂=넉," "魄=넋"이라 훈했는데 우리 고대말에서는 혼과 백이 그리 명백하게 분화되지 않은 듯 하다. 혼과 백이 분리되면(죽으면), 혼은 제 고향인 하늘로 돌아가고 백은 제 고향인 땅으로 돌아간다. 혼은 무당들이 하늘에 제식을 올리고, 백은 장례자들이 땅에 묻는 것이다.

몸	하늘	魂 (넉)	神
	땅	魄 (넋)	精

"營"은 고대인의 인체관에서 "衛"와 상대되는 말인데, 營은
몸의 내부를 운영하는(영양을 공급하는) 營血을 의미한다. 衛는
몸의 밖으로부터 保衛하는(주로 면역작용과 관련) 衛氣를 의미
한다. 즉 營衛는 氣血論과 관련이 있다.

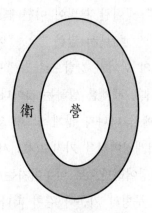

그러니까 이것을 天地論적 도식으로 설명하면 역시 營은 땅(血)
이 되고 衛는 하늘(氣)이 된다.

몸	衛 immune system	魂	氣	하늘	覆
	營 nutritional mechanism	魄	血	땅	載

　따라서 여기 "載營魄"은 모두 땅과 관련된 말들임을 알 수 있다. 즉 이것은 인간의 유형의 형체를 말한 것이다. "영백을 싣는다"라는 뜻은 즉 내 이 비계덩어리를 가지고 산다는 뜻이다. 그런데 반하여 여기 "一"이란 有形이 아닌 無形者요, 포괄적인 道의 別稱이다. 『太一生水』에서 말한 "太一"이다. 그러므로 나는 암암리 營魄이 땅의 함의가 강함으로 "一"을 하늘의 뜻으로 대비시켰다. 인간의 神的 세계를 말하는 것이다. "能無離乎?"라는 것은 "一이 營魄에서 떠나지 않게 할 수 있겠느냐"는 의미다. 우리는 어차피 비계덩어리를 가지고(載) 사는 것이다. 그러나 생명이란 이 비계덩어리만으로 이루어지는 것이 아니요, 이 비계덩어리와 하늘의 무형의 기운이 같이 떠나지 않고 있을 때만 존속되는 것이다. "一"이란 우주 전체, 즉 太一의 기운이다. 이 전체의 기운을 내가 끊임없이 받을 때만이 나는 생동할 수 있는 것이다.

2. 專氣致柔, 能嬰兒乎 :

이것은 우리나라의 모든 단전호흡이나 국선도(國仙道), 기공(氣功)등의 원리가 다 여기 이 『노자』에게서 나온 것임을 말해주는 구절이다. "專氣"란 "氣를 오로지 한다"라는 뜻으로 내 몸의 氣를 專一하게 집중시키는 것을 말한다. 기를 집중시킨다는 것은 단전에 의식을 집중시키는 것만이 아니라 일상생활의 모든 운영이 氣를 깨끗하게 하는 것을 의미한다. 그것은 특히 우리가 먹는 것, 성생활하는 것, 자는 것, 食色의 모든 것을 깨끗하고 청결하게 하는 것을 의미한다. 요즈음 세태와 같이 음식점에서 화학조미료를 퍼넣고, 남의 침이 묻은 더러운 반찬을 계속 회전시키고, 그릇을 하이타이로 적당히 씻고, 온갖 유전자조작 식품으로 요리를 하는 식생활환경 속에서는, "氣를 專一하게 한다"는 것은 불가능하다. 매일 아침 단전호흡학원에 나가 온갖 수련을 다해도 낮에는 더럽게 外食하고 저녁에는 酒色에 곯아버리는 상황에서는 아무 소용이 없는 것이다. 專氣의 목적은 무엇인가? 그것은 "致柔"다. 내 몸이 뻣뻣해진다는 것(剛)은 내 몸의 삶의 부분을 죽음의 부분이 이기고 있다는 증표이다. 專氣는 오로지 내 몸이 부드러움(柔)에 이르는(致) 현상을 통해서만 증명될 수 있는 것이다. 허리가 부드럽고, 목이나 온갖 관절이 자유롭게 돌아가며, 근육이 보들보들하면서 탄력성이 있는 몸, 그것을 우리는 어린애와 같은 몸(嬰兒)이라 부르는 것이다. 노자는 묻는다. 專氣致柔하여 영아(갓난애기)와 같은 몸을 유지할 수 있는가? 조선

민족이여 ! 늙지 말자 ! 항상 어린애 같은 몸을 유지하자 !

3. 滌除玄覽, 能無疵乎 :

여기 玄覽(현람)이란 우주적 거울을 말하는데 그것은 곧 우리의 "마음"을 뜻할 것이다. 帛書 甲本에는 覽이 "藍"으로 되어고, 乙本에는 "監"으로 되어 있다. 이것은 모두 자형으로 보아, 그릇에 물을 떠놓고 자기를 비추어 보는 형태의 甲骨文에서 비롯된 것이다. 『장자』「天道」에 "水靜猶明, 而況聖人之心靜乎 ! 天地之鑑也, 萬物之鏡也 ﹒"(물의 고요함이 이와같이 맑게 비추거늘, 하물며 성인의 마음의 고요함이랴 ! 그것은 천지를 있는 그대로 비추는 귀감이요, 만물의 거울이다)라 한 것이 바로 『노자』의 구절과 상통한다 할 것이다.

"滌除"(척제)란, 우리가 세척(洗滌)이란 말을 쓰듯이, 내 마음의 거울을 깨끗이 씻어 한 티끌도 없이 하여(無疵) 만물이 있는 그대로 비치는 것을 의미한다. 불교가 중국에 들어오기 이전에 이미 노자에게 이러한 『대승기신론』등지에서 말하는 佛教의 心眞如相的 통찰이 있다는 사실에 우리는 놀라움을 금치 못한다. 아무 티끌도 없는 마음의 거울, 그래서 끊임없이 生滅하는 常道의 세계를 있는 그대로 비추는 거울, 言說相을 떠나고, 名字相을 떠나고, 心緣相을 떠난 如如의 세계 ! 그것을 노자는 이미 설파하고 있는 것이다.

4. 愛民治國, 能無知乎 :

"愛"의 본 뜻은 "아낀다"이다. 누구를 사랑한다는 뜻은 그 사람을 아껴준다는 뜻이다. 성인의 다스림은 백성으로 하여금 무지무욕(無知無欲)하게 하는 것이다. 물론 백성을 무지무욕하게 만드는 당사자야말로 무지무욕하여야 하는 것이다. 帛書 乙本에는 "能無知乎"(능히 무지할 수 있는가)가 "能毋以知乎"(능히 지식〔조작적 앎〕으로써 하지 않을 수 있는가)로 되어 있다. 帛書의 표현이 원의에 가깝다고 보아야 한다. 王弼의 注에도 "能無以智乎, 則民不辟而國治之也。"로 되어 있다.

5. 天門開闔, 能無雌乎 :

帛書 乙本에는 "天門啓闔, 能爲雌乎?"로 되어 있다. 帛書가 정확하다. "無雌"는 "爲雌"의 誤寫이다. 王弼注에도 "雌應而不倡, 因而不爲。言天門開闔能**爲**雌乎, 則物自賓而處自安矣。" (암컷이란 본시 부르는데 응할 뿐 자기가 주창하지 아니하고, 무엇에 원인이 되어줄 뿐 자기가 능동적으로 하지 않는다. 천문이 열렸다 닫혔다 함에 능히 암컷이 **될 수 있겠는가** 라고 말한 것은, 곧 만물이 스스로 질서지우며, 그 처함이 스스로 편안해짐을 말한 것이다)로 되어 있다. 암컷(雌)은 無爲의 덕성의 상징이다. "天門開闔"을 王弼은 다음과 같이 주석을 달고 있다.

天門, 謂天下之所由從也。開闔, 治亂之際也。或開或闔, 經
通於天下, 故曰天門開闔也。

하늘의 문이란, 천하의 모든 것이 그것으로 말미암는다는 것
을 일컫는다. 개합이란, 다스려짐과 어지러움의 변화를 말하
는 것이다. 어떤 때는 열렸다가 어떤 때는 닫히면서 하늘 아
래를 질서지운다. 그러므로 天門開闔이라 말한 것이다.

왕필이 너무 어렸기 때문에, 여체에 대한 경험이 부족하여 이
러한 추상적 주석을 달았을 것이다. 여기서 말하는 주제는 분명
히 여성(雌)의 문제이다. 여성됨을 말하고 있고, 이것은 분명히
여체의 변화를 빌어 유기체적 우주의 생성을 말한 것이다.

여기서 天門이란 추상적인 말이 아니다. 이것은 여체의 부분
을 말한 것이다. "하늘의 문," 그것은 여체에 있어서의 만물의
생성의 문이다. 그것은 곧 여자의 성기를 의미한다. 門이라는 표
현과 성기의 이미지와의 상응성은 리얼하게 이해가 될 수 있을
것이다. 여기 "天門開闔"이란 바로 고대 여성들에게서는 아주
명료하게 나타났던 에스트루스 성징을 말하는 것이다. 이 시기
는 배란기며, 자궁에 있어서의 증식기(에스트로겐 지배기)와 분
비기(프로게스테론 지배기)가 엇갈리는 때인 것이다. 이 때는 외
음순(labia majora and minora)이 도톰하게 되면서 핑크빛이 더

돌고, 검으티티한 색깔이 나면서 분비물이 많아지고 사향과 같은 냄새의 발동이 심해진다. 그리고 음순과 크리토리스가 빽빽해지고 뿌듯해지면서 성욕이 발동하고 입술과 입술 사이가 더 벌어지면서 구멍이 열리는 현상이 일어난다. 이때가 소위 말하는 天門이 開하는 시기인 것이다. 멘스트루알 싸이클(menstrual cycle, 월경주기)에 있어서 그 반대되는 시기가 闔의 시기(황체의 기능이 떨어지는 시기)가 될 것이다. 여자의 몸의 天門이 개합(열렸다 닫혔다)하는 것이 곧 生成의 모습이다. 뿐만 아니라, 달의 기울고 차는 모습, 계절의 변화.『太一生水』말대로 조습・한열의 변화가 모두 生成의 시간이요 리듬인 것이다. 그러한 리듬의 흐름 속에서 지배적이고 조작적인 남성적인 가치를 유지하는 것이 아니라, 포용적이며 순응적인 여성적 가치를 유지할 수 있겠느냐고 노자는 우리에게 묻고 있는 것이다. 여기의 이야기들은 노자가 우리에게 던지는 삶의 숙제들인 것이다.

5. 明白四達, 能無爲乎 :

"明白"이란 외계사물, 나를 둘러싼 세계에 대한 명철한 이해를 말하는 것이다. "四達"이란 "사방에 통달하는 것"을 의미한다. "能無爲乎?"란 帛書 乙本에 "能毋以知乎?"로 되어 있다. 그렇게 되면 그 뜻은 명백하게 사물을 인식하여 사통팔달하는 그러한 경지에 도달하면서도, 지식을 사용함이 없는 그러한 순수한 상태를 유지할 수 있겠냐는 의미가 될 것이다. 그런데 왕필

자신의 注에 "能無以爲乎?"로 되어 있는데, 그 뜻은 "조작적인 함(爲)으로써 하지 않는다"가 될 것이다. 왕필本은 이 구절이 본시 "能無以爲乎"였을 것이다. 따라서 帛書 乙本과는 그 전승이 다른 것이다.

6. 生之, 畜之 :

왕필은 "生之"에 대해서는 "不塞其原也"(그 근원을 막지 않는다)라는 주를 달았고, "畜之"에 대해서는 "不禁其性也"(그 본성을 억압하지 않는다)라는 주를 달았다. 많은 주석가들이 이 구절이 문맥의 흐름에서 너무 돌연하게 들어와 있음으로 착간이 아닌가 생각하기도 하였지만, 帛書의 발굴로 과거에 착간이라고 생각했던 많은 구절들이 제자리에 제대로 있는 것임이 확인되었다. 그런데 "生之, 畜之"는 결코 추상적으로 얼버무릴 그러한 성질의 것이 아니다. 이것은 노자의 사상을 일관되게 흐르고 있는 강령이요, 『중용』과 같은 기타 유가문헌과도 연속적 관계에 있는 매우 중요한 사상을 반영하는 명구절이다. "生之"란 道의 측면을 말한 것이요, "畜之"란 德의 측면을 말한 것이다. 道란 보편자요, 우주적 원리요, 상대적 언어개념으로 파악하기 어려운 변화하는 현상 그 자체이다. 道의 가장 기본적인 기능은 바로 이 세계의 변화를 일으키고 있는 생성력 그 자체라 말할 수 있다. 따라서 도의 작용은 "生"에 있다. "生"이란 곧 "창조력"(Creativity)이다. 그런데 생에다가 갈 "之"자를 붙인 것은, 生

이 일시적 고정적 창조가 아니요, 끊임없이 진행되는 과정임을 말한 것이다. 그것은 끊임없이 창조적인 창조력(Creative Creativity)이다. 창세기의 하나님처럼 이 세계를 월·화·수·목·금·토에 하루 하루씩 창조하고 힘이 겨워 하루를 쉬어야 하는(일요일) 그런 고정된 시점의 창조가 아니다. 그것은 시작도 없고 끝도 없는 창조의 과정이다. 도는 어느날 갑자기 나타나서 "있어라"하고 명령하는 로고스가 아니요, 말씀이 아니다. 도는 끊임없이 생성하는 우주의 과정이다. 生에 之를 붙임으로써 그러한 진행형의 의미가 생겨난다.

그런데 德이라는 것은 바로 개별자의 문제다. 왕필은 德을 일컬어 다음과 같이 말한다.

德者, 得也。(38장 주)

道는 "길"이요, 德은 "얻음"이다. 얻음이란 무엇인가? 그것은 바로 도라는 보편자의 生成의 모습에서 내가 얻어 가지는 것을 의미한다. 道에서 내가 얻어 가지는 것, 이것을 宋明 유학자·조선조의 유생들은 "分受"라고 표현했다. 道라는 보편자에서 나도올이라는 개별자가 얻어가지는 것, 그 얻음이 곧 나의 德(Virtue)인 것이다.(23장의 道, 德, 失의 논의를 참조하라.)

나의 덕은 곧 내가 道로부터 分受받은 것, 내가 얻어 가진 것
이다. 서양말의 이 버츄(Virtue, *Tugend*)에 해당되는 희랍어는
"아레테"(*aretē*)라는 말이다. 그런데 이 아레테는 모든 사물(개
별자)이 그 나름대로 가지는 "좋은 상태"(*agathos*)를 의미한다.
이 좋은 상태라는 것은 그것이 가지는 기능, 즉 노자가 말하는
用(*ergon*), 즉 특유의 기능(*oikeion ergon*)과 관련된 말인 것
이다. 이러한 기능의 훌륭한 상태, 영어로 "엑셀런스"
(excellence)라고 표현하는 바로 그 "훌륭함," "좋음"이 곧 德
인 것이다. 그런데 노자는 말한다. 德이란 그냥 이루어지는 것이
아니고 반드시 축적을 통해 이루어지는 것이다.

畜之。

畜이란 德을 이루는 과정이다. 그것은 내 몸에 쌓는 과정
(accumulation process)을 의미하는 것이다. 바느질 하나도 어
려서부터의 축적이 없으면 그 엑셀런스(훌륭함)에 도달할 수 없
다. 밥짓는 것 하나도 오랜 시간의 축적된 경험이 없이는 불가능
한 것이다. 畜 역시 일시의 축적이 아니요, 끊임없이 축적해가는
과정인 것이다. 그래서 그 역동적 과정성을 나타내기 위하여 갈
之자를 붙인 것이다.

"生之, 畜之。" 이 한 구절은 노자철학을 이해하는데 가장 중요한 핵심적 사상을 형성하는 것이며, 노자가 말하는 "無爲"가 단순한 "함이 없음"이 아니라 "畜之"의 과정을 통하여 도달된 훌륭함(aretē)의 덕성이라는 것을 깨닫게 될 것이다.

道	보편자	길	生之	creative creativity	인간 **Man**
德	개별자	얻음	畜之	accumulation	‖ 우주 **Universe**

7. 生而不有, 爲而不恃, 長而不宰 :

버트란드 럿셀이 이 세 구절을 "production without possession," "action without self-assertion," "development without domination"으로 번역한 것은 이미 소개한 바와 같다.(『上』 134~135쪽). "爲而不恃"를 簡本에 쓰여져 있는 대로 "爲而弗志"로 고쳐 풀이한다면, 럿셀의 "action without self-assertion"(자기 주장대로 휘몰아 가지 않는 행위)라는 번역의 의미가 그 정확한 원의를 반영하고 있다할 것이다. 그런데 帛書

本에는 "爲而不恃"가 빠져 있다.

8. 是謂玄德 :

"玄德"하며는 『삼국지』의 한 주인공이 떠오를 것이다. 蜀漢의 건국자, 白帝城의 패주로 비운을 맞게 되는 昭烈帝, 劉備 (161~223) ! 그의 "현덕"이라는 이름은 바로 이 『노자』이 구절에서 따온 것이다. 왕필의 주석을 한번 보라 !

不塞其原, 則物自生, 何功之有? 不禁其性, 則物自濟, 何爲之恃? 物自長足, 不吾宰成。有德無主, 非玄而何? 凡言玄德, 皆有德而不知其主, 出乎幽冥。

그 근원을 막지 아니하니 만물은 스스로 생한다. 그러니 뭔 공을 운운할 필요가 있겠는가? 그 본성을 억압하지 아니하니 만물이 스스로 질서지운다. 그러니 뭘 기댈 건덕지가 있겠는가? 만물은 자기 스스로 자라고 스스로 족함을 얻는다. 만물은 결코 나의 주재로 이루어지는 것이 아니다. 덕은 있으면서도 주재자 하나님이 있지 아니하니 어찌 가물타 하지 않을 수 있으리오? 대저 가물한 덕(玄德)이라 하는 것은 주재함이 없이 그윽한 데서 스스로 그 덕성이 우러나오고 있는 것을 말한 것이다.

왕필의 주석대로 유현덕은 현덕 그 이름에 걸맞은 덕성을 소유한 인물이었다. 타인을 주재(지배)하지 않으면서 타인을 충직하도록 부릴 수 있는 인물이었다. "삼고초려"란 곧 "물"과 같이 자기를 낮추는 玄德의 지혜다. 그래서 제갈공명과도 같은 天下의 지혜인을 부릴 수 있었다. 그러나 역사의 대세는 반드시 지혜로운 자들에게 돌아가는 것만은 아니다! 여기서 우리는 다시 셰익스피어의 비극을 논해야 할까?

十一章

三十輻共一轂,
삼십복공일곡,

當其無, 有車之用;
당기무, 유거지용;

埏埴以爲器,
선식이위기,

當其無, 有器之用;
당기무, 유기지용;

鑿戶牖以爲室,
착호유이위실,

當其無, 有室之用。
당기무, 유실지용。

故有之以爲利,
고유지이위리,

無之以爲用。
무지이위용。

열한째 가름

서른개 바퀴살이
하나의 바퀴통으로 모인다.
그 바퀴통 속의 빔에
수레의 쓰임이 있다.
찰흙을 빚어
그릇을 만든다.
그 그릇의 빔에
그릇의 쓰임이 있다.
문과 창을 뚫어
방을 만든다.
그 방의 빔에
방의 쓰임이 있다.
그러므로
있음의 이로움은
없음의 쓰임이 있기 때문이다.

説老 이 장은 노자의 虛(빔)를 말할 때, 가장 잘 인용되는 유명한 장이다. 『노자』라는 서물을 대변하는 대표적인 장 중의 하나이지만, 竹簡에는 나타나지 않는다. 이 장도 역시 그 성격이 추상적(abstract)이며, 매우 이론적(theoretical)이라 할 때, 역시 후대에 성립한 층으로 볼 수도 있을 것이다. 帛書에는 거의 王本과 동일한 형태로 실려있다. 이 장의 대강의 뜻은 이미 넷째가름(『上』, 182~192쪽)에서 虛를 말할 때 충분히 논술한 것이다. 넷째 가름을 안본 사람은 반드시 먼저 그 가름을 읽고 이 장을 읽어야 할 것이다.

1. 三十輻共一轂, 當其無, 有車之用 :

평소 이 구절은 내 머리속에 명료한 그림을 그려놓지 못했다. 그 다음에 나오는 말들이 모두 삶의 공간을 의미하는데, 수레의 공간이라고 하면 일차적으로 사람이 타는 곳을 생각하게 될 것 같은데, 이 문장은 전혀 그런 주제를 다루고 있지 않은 것이다. 그러니 요즈음 내 생각으로는 "有車之用"의 車(거)는 실제적으로 "수레바퀴"의 의미로 새겨야하지 않을까 하고 생각하는 것이다.

"輻"이란 수레의 바퀴살이다. 지금도 자동차는 우리 삶의, 없어서는 아니되는 주요한 주제를 형성하는 利器다. 자동차 모델만 바뀌어도 모든 사람이 관심을 갖는다. 그리고 자동차는 자기 삶의 모습과 깊은 관련이 있다. 자기 삶의 생활방식이나 습관에 따라 자동차모델이 선택된다. 그리고 자동차는 한사람의 부나 권력의 표상이다. 초라한 소형 자동차! 삐까번쩍하는 대형 자동차! 액센트와 에쿠우스는 역시 크나큰 신분의 거리가 있다. 이러한 상황은 옛날에도 마찬가지였다. 중국고전에는 수레에 관한 이야기가 매우 많이 나온다. 그것이 언급되는 상황도 다양하다. 그런데, 이 수레에 대한 관심은 모두 바퀴에 모아져 있다. 그리고 이 수레의 가장 핵심적 부분이 바로 이 轂(곡, hub)이라는 것이다. 이 곡은 많은 바퀴살(輻, spokes)이 박히는 자리요, 또 軸(축, axis)이 끼어지는 곳이기 때문이다. 그런데 현실적으로 한 바퀴의 살이 30개라는 것은 잘 이해가 가지 않는다. 우리가 어렸을 때 본 달구지, 똥구루마를 연상하면 살이 열 개정도면 끽일 것이다. 오늘 자전거 바퀴의 살 개수를 생각해봐도 육중한 수레의 바퀴 살이 30개라는 것은 좀 쉽게 이해가 가질 않는다. 그런데 놀라운 사건이 터졌다.

진시황! 六國을 통일하고 만리장성을 쌓고 동아시아역사에 가장 거대한 제국을 세운 政! 13세에 진왕이 되었고 38세에 皇帝에 등극한 그는 인간적으로 아주 고독한 사나이였을지도 모른다. 河南의 大商人 呂不韋가 사랑하는 애첩에게 임신시켜, 몰래 子楚(후의 莊襄王)의 부인으로 들이어 政(후의 진시황)을 낳았음으로, 진시황의 실부는 呂不韋였다. 여불위는 이러한 음모로 相國이 되었고 중보(仲父)라 불리울 정도로 온갖 권세를 걸머지었지만, 결국 진시황은 실부 呂不韋에게 자살의 독배를 마시게 해야만 했던 것이다. 아마도 진시황은 呂不韋가 자기 실부라는 것을 알았을 것이다.

이 고독한 사나이는 지상의 모든 세계를 정복했다. 그가 정복해야 할 마지막 세계는 죽음의 세계였다. 그는 죽음의 세계, 저 지하의 세계에 또 하나의 제국을 건설했던 것이다.

1974년 3월 29일, 섬서성 西安市 臨潼縣 西楊村 남쪽 驪山 자락에서 양지발(楊志發)이라는 한 시골청년이 극심한 가뭄 때문에 물을 얻고자 내리친 곡괭이의 운명이, 그 어마어마한, 세계 8대 불가사의의 하나로 꼽히는 진시황의 암흑의 세계의 모습을 두 밀레니엄 후에나 빛의 세계로 드러내게 한 것이다. 그 장쾌한 秦俑(陶俑)의 모습은 내가 여기 새삼 언급할 계제가 아니다.

진시황은 천하 사방(西方 · 北方 · 南方 · 東方)을 순행(巡幸)하였다. 결국 그는 다섯번째 순행길에 죽었다. 그는 어떠한 수레를 타고 다녔을까? 발굴팀들의 관심은 도용에서 수레로 옮아갔다. 1980년, 진시황제의 묘가 있는 서쪽 坑에서 드디어 두 개의 수레가 발견되었다. 동으로 만든 사두마차(銅車馬) 두 개가 발견되었는데 흙더미의 압력에 일그러져 1500개 이상의 조각으로 부서져 있었지만, 그 온전한 형태의 복원이 가능한 상태로 묻혀 있었기 때문에 2천여년이 지난 오늘 그 정교하고도 찬란한 모습을 드러내기에 이른 것이다. 앞에 있는 1호 동거마는 立式의 戰車(War chariot)이고, 뒤따라오고 있는 2호 동거마는 坐式의 승객수송차(Passenger chariot)의 모습이다. 이것은 실물싸이즈의 半으로 축소제작된 것인데 그 실물의 모습을 매우 정교하게 구현하고 있다. 1호 동거마의 경우, 높이가 1.68m, 말을 포함한

전체 길이가 2.25m에 이른다. 이 전차 안에는 많은 무기들이 실려있었는데 이것은 황제호위의 기능을 하였던 전차였을 것이다.(a war chariot for the imperial guards.) 그런데 우리의 관심은 이 두 동거마의 수레바퀴로 집중된다. 두 수레가 모두 놀라웁게도 정확하게 30개의 輻(살)이 一轂에 박혀있는 모습을 과시하고 있는 것이다. 이로써『노자』의 문헌적 언급이 결코 虛言이 아닌, 당대의 실제 기물의 모습을 정확하게 기술하고 있는 것임이 드러나게 된 것이다.

周나라의 문물제도로서 수레바퀴가 30개의 바퀴살로 구성되어 있다는 것은 여러 문헌에서 언급되어 왔으나, 실제 30개의 살이 하나의 살통에 박힌 실제상황의 모습을 발견하기는 어려웠다. 그러나 진시황릉의 동거마는 고대문헌의 언급이 결코 관념적인 상황이 아니라는 것을 입증한 것이다. 그 정교한 모습이 우리의 찬탄을 금치못하게 만드는 것이다.

30개의 살이란 한달을 30일 기준으로 생각한 月輪의 시간을 의미한다. 즉 수레바퀴는 시간의 수레를 의미하는 것이다. 우리가 일상생활에서 쓰고 있는 "연륜(年輪)이 쌓인다"는 식의 표현도 바로 바퀴를 시간의 상징으로 생각한데서 생겨난 것이다. 인도문명에서도 짜끄라(cakra, 輪寶)는 태양의 수레의 바퀴(the wheel of the Sun's chariot)를 의미하며, 곧 시간의 수레바퀴를 의미한다. 그리고 그것은 비슈누(Vishṇu) 신의 원반형의 무기를 의미하는데 이것은 적진에 돌아다니며 모든 것을 분쇄시키는 힘을 가지고 있다. 그것이 轉輪聖王의 이미지와 결부되어, 인간의 번뇌를 摧破시키는 지혜의 상징으로 쓰였고, 또 불교에서는 釋尊이 설파한 法이 威光을 가지고 人世에 퍼져가는 모습을 상징하는 法輪으로 쓰였다.

그러나 노자의 관심은 참 해괴한 곳에 있었다. 30개의 바퀴살이 한 개의 바퀴살통에 꽂힐려면 그 바퀴살통의 속이 비어있어

야만 한다는 것이다. 어찌하여 그 빔의 지혜를 하필이면 살통
(轂)의 속의 빔에서 찾으려 했는지 솔직히 잘 이해가 가지 않는다.

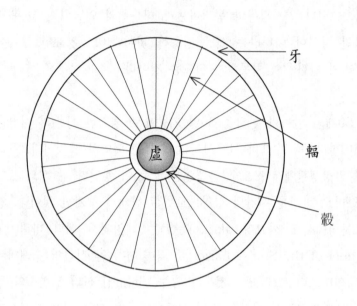

노자는 바로 그 轂의 속의 빔에 곧 수레의 쓰임이 있다고 보
았는데, 내가 생각하기에 이때의 수레란 곧 바퀴(輪)를 의미하
는 것 같다. 이 虛가 있기 때문에 三十輻이 轂을 공유할 수가
있고, 또 그 빈 곳으로 軸이 지나갈 수 있어 수레 전체의 "굴
름"이란 현상이 가능해질 수 있기 때문이다.

王弼은 이를 注하여 다음과 같이 말하였다.

轂所以能統三十輻者，無也。以其無能受物之故，故能以實
[寡]統衆也。

살통이 30개의 살을 능히 통일할 수 있는 것은 그 빔 때문이
다. 그 빔으로써 사물을 수용할 수 있기 때문이다. 그러므로
그것은 능히 적음으로써 많음을 통어(統御)할 수 있는 것이다.

　왕필에게 있어서는 살통의 의미가 살을 통괄한다고 하는 기능
에 포커스가 맞춰져 있고, 그 기능을 그 원심의 빔으로 본 것이
다. 이것은 마치 『論語』「爲政」에 "북극성이 항상 그 자리에
있으면 모든 별이 그것을 중심으로 움직인다"(北辰居其所, 而衆
星共之)라고 한 의미와 상통한다고 보아야 할 것이다. 三十輻이
一轂을 共有한다고 하는 것은 곧 그 곡의 중심의 빔의 자리가
三十輻을 돌리고 있다는 의미로 보아야 한다는 것이다. 그 곡의
중심의 빔은 無의 세계요, 三十輻은 곧 시간의 변화선상에서 現
象하고 있는 有의 세계의 상징이다.

無(빔)	有(현상)
一轂	三十輻

2. 埏埴以爲器, 當其無, 有器之用 :

埏(선)이란 우리말로 "이긴다," "빚는다"의 뜻이다. 埴(식)이란 "찰흙"이다. 도자기를 만들 수 있도록 가공된 최후의 흙을 도공들은 "질"이라고 부른다. 埴은 곧 "질"을 가리키는 말일 것이다.

여기서 "無"는 "없음"이 아니라, "虛"(Emptiness)를 의미한다. 그 無(빔)를 當하여, 器의 用(쓰임)이 있다고 했으니, 여기서 우리는 다음과 같은 공식을 얻는다.

無(Nothingness) = 虛(Emptiness) = 用(Function)

없음(無)은 곧 빔(虛)이요, 빔은 곧 있음(有)의 쓰임(用)이다.

3. 鑿戶牖以爲室, 當其無, 有室之用 :

"戶"는 자형을 보아 쉽게 알 수 있듯이 여닫이 문의 반쪽이다. 그것이 두 쪽이 다 갖추어지면 "門"이 된다. "牖"(유)는 "창"이다. 戶는 "door"로 牖는 "window"로 영역될 것이다. "鑿"은 원래 "끌질하다"(to chisel)는 동사이다.

4. 故有之以爲利, 無之以爲用 :

있음의 利됨은, 없음의 用됨 때문이다. 이 문장에서 우리는 동양인들이 사물을 바라보는 태도를 읽을 수 있다. 모든 존재(有)는 존재자체로서 존재하는 것이 아니라, 그것의 利로움 때문이다. 그러나 그 이로움은 없음(빔)의 쓰임(用) 때문인 것이다.

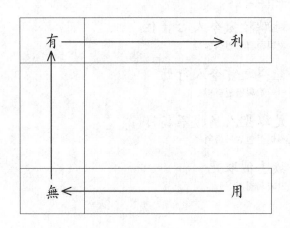

이 장은 전체적으로 虛의 존재론인 동시에 도의 생성론을 말하는 매우 이론적인 장으로서 잘 인용되고 있으나, 그 성격으로보아 후대에 정리된 느낌이 강하다 할 것이다.

十二章

五色令人目盲,
오색영인목맹,

五音令人耳聾,
오음영인이농,

五味令人口爽。
오미영인구상。

馳騁畋獵令人心發狂,
치빙전렵영인심발광,

難得之貨令人行妨。
난득지화영인행방。

是以聖人爲腹不爲目。
시이성인위복불위목。

故去彼取此。
고거피취차。

열두째 가름

갖가지 색깔은
사람의 눈을 멀게하고,
갖가지 음은
사람의 귀를 멀게하고,
갖가지 맛은
사람의 입을 버리게 한다.
말달리며 들사냥질 하는 것은
사람의 마음을 미치게 만든다.
얻기 어려운 재화는
사람의 행동을 어지럽게 만든다.
그러하므로 성인은
배가 되지 눈이 되질 않는다.
그러므로
저것을 버리고 이것을 취한다.

說老 말초감각을 자극하는 현대 자본주의 사회의 병폐에 대하여 이처럼 통렬한 비판의 소리는 듣기 어려울 것이다.

우리는 이 장의 언어를 대할 때, 쉽사리 이 장이 竹簡에는 나타나지 않으리라는 상정을 할 수 있다. 왠가? 五色, 五音, 五味 등의 벌써 정식화(스테레오 타입화)된 표현은 죽간시대의 표현이라고 보기 어렵기 때문이다. 그리고 이것은 아마도 五行학파의 성립시기와도 관련되는 문제일 수도 있다. 즉 五色, 五音, 五味 등의 표현은 五行사상이 팽배해진 시대의 사고구조의 소산이라고 간주할 수밖에 없는데, 우리는 竹簡의 시대에 이미 "五行論"이 성립했다는 생각을 할 수가 없기 때문이다. 五行論은 陰陽論보다도 성립시기가 늦은 전국말기로 간주되기 때문이다. 진시황은 당대에 유행한 오행론의 신봉자였다.

五色은 문자 그대로 "다섯 색"으로 번역하면 아니된다. 그것은 인간의 시각을 자극시키는 "모든 색깔"이다. 현란한 강남여자들의 옷을 연상하면 쉽게 이해될 것이다. 五音은 사람의 귀를 멀게한다! 실제로 요즈음의 젊은 아이들은 하루종일 귀에다 레시바를 꽂고 살고 있다. 무엇을 해도 그 五音의 자극을

떼버릴 수가 없는 것이다. 인체의 반응(response)은 점점 무디어져 감으로 자극(stimulus)은 날로 날로 강해질 수밖에 없다. 그 결과는 뻔하다. 고막(ear drum)의 손상이나 파열이 초래되는 것이다. 참으로 어리석기 그지없는 세태인 것이다. 五味! 맛도 요즈음의 세태는 "담백의 묘미"를 점점 상실해가고 있다. 그래서 마늘, 파, 생강, 고추, …… 과도하게 자극적인 양념은 날로 날로 강화되고, 게다가 온갖 화학조미료가 판을 치는가 하면, 음식점에서는 사람들의 맛을 길들이기 위해 짜게하고 들큰하게 설탕을 치게 마련이다. 왜 우리나라 음식들은 그다지도 담백하고 깨끗하고 청초한 맛을 잃었는가? 왜 그렇게도 들척지근하고 니길니길하고 맵고 짜고, 화학조미료로 혓바닥을 도배질해서 뒷골이 쑤시게 하고, 자고 일어나면 머리가 쑤아하게 虛火가 뜨는가 하면, 입안에서는 오만가지 더러운 시궁창 냄새가 뱃속에서부터 부글부글 끓어오르게 만들고 있는가? 우리나라 식품업계의 맹렬한 반성을 촉구한다! 그리고 우리나라의 外食업소문화의 통렬한 반성을 촉구한다! 과연 그대들은 그대의 사랑하는 자식들에게 줄 수 있는 음식들을 손님들에게 팔고 있는가? 과연 그대들은 손님들의 건강을 나의 건강처럼 소중하게 생각하고 있는가? 우리나라 음식점의 더러움이란 이루 다 형언할 수가 없다. 그러면서 온갖 五味의 잔치를 연출하여 돈만 긁어대면 그만이라고 생각하고 있는 것은 아닐는지!

　馳騁畋獵令人心發狂! "馳騁"은 "말달리기"다. "畋獵"은

"사냥"이다. 고대사회에 있어서도 오늘날과 같은 스피드의 자극은 여전한 것이었다. 중국말로 "빨리오라"는 말은 "馬上來"라고 한다. 이때 "馬上"이란 "fast"라는 부사이지만, 그것은 직역하면 "말타고"라는 의미다. 말을 타고 달리는 기분! 그것은 사람의 마음을 미치게 만들기에 충분하다. 더구나 전렵(사냥)의 취미 또한 사람을 끊임없이 미치게 만든다. 아마도 "치빙전렵"이라는 이 장의 표현은 요새말로는 오토바이 폭주족이나 스포츠카, 레이스카의 광란, 고스톱, 카지노, 경마, 증권 …… 이 모든 자극과 스릴과 스피드와 도박의 광란을 총칭하는 말일 것이다.

難得之貨(얻기 어려운 재화) 역시 사람의 행동을 묘연하게(妙) 만든다. 라스포사의 비싼 옷이 이토록 한 나라의 정국을 뒤흔들 줄이야 그 누가 짐작이나 했겠는가? 평소때는 연루된 당사자들도 건전한 상식을 가질 수 있는 인테리들이요, 교양있는 사람들일 것이다. 그런데 어떻게 그토록 그들의 행동이 어지러워질 수 있었겠는가? 끊임없이 난득지화(難得之貨)를 산출하고 그러한 가치속으로 휘말리는 것을 조장시키고 있는 우리 문명의 가치에 대한 근원적 반성을 노자는 촉구하고 있는 것이다.

是以로(그러하므로) 성인은 배(腹)가 될지언정, 눈(目)이 되질 않는다. 이것은 또 뭔 말인가? 이미 우리는 3장의 "虛其心, 實其腹"에서 心(유위)과 腹(무위)의 의미를 살펴보았다. 여기서는 또다시 腹(배)이 目(눈)과 콘트라스트를 이루고 있는 것이다. 내가 제2장의 "아름다움과 추함"을 말하는 자리에서 우리의 시각 중심의 인식구조의 허망함을 이미 지적한 바 있다.

여기서 腹과 콘트라스트를 이루는 目이란 불교의 용어로 말하자면 "제1식"(the First Consciousness)에 해당되는 것이다. 제1식은 인간의 8식 중에서 가장 원초적이고 가장 직접적이며 가장 또렷하고 가장 즉각적인 것이다. 그러나 그것은 그러하기에 가장 에러의 가능성이 높고, 가장 이 세계를 왜곡되게 구성할 수 있는 것이다. 불교에서는 이러한 왜곡을 幻(māyā)이라고 부른다. 그것은 幻有요, 幻化요, 幻作이요, 幻術이요, 幻影이요, 虛幻이다. 그것은 실체가 없는 것을 실체로서 인식하는 대표적인 作爲다. 지나가다 놓여있는 새끼줄이 뱀으로 꿈틀거리기도 하고, 세워놓은 때묻은 빗자루가 도깨비로 변하여 나와 씨름을 벌이기도 하는 것이다. 이 모든 것이 제1식의 천박함에서 비롯되는 것이다.

그러한 눈의 인식에 비한다면 배의 인식은 보다 근원적이요, 보다 막대하며, 보다 무차별적인 것이며, 보다 지속적인 것이다.

目(visual feeling)	幻	차별적
腹(visceral feeling)	常	무차별적

노자의 최종적 결론은 이러하다: 去彼取此 ! 저것을 버리고 이것을 취하라 ! 저것(彼)이란 나에게서 멀리 있는 것이다. 이것(此)이란 나에게서 가까이 있는 것이다. 여기서 저것이란 눈(目)이요, 이것이란 배(腹)다. 저것은 나에게서 멀리 있는 모든 것이요, 이것은 나에게서 가깝게 있는 모든 것이다. "저것"이란 플라톤적인 관념이요, 可道之道요, 彼岸的인 모든 이상이다. "이것"이란 항상 변화하는 이 세계의 생성이요, 常道의 세계며, 此岸的인 모든 현실이다. 저것을 버리고 이것을 취하라 ! 이것은 동양인의 실천주의적 삶의 가치의 전범인 것이다. 그리고 노자적인 실용주의 가치관의 구호인 것이다. 나는 노자적인 실용주의를 미국의 프래그머티즘(pragmatism)과 구별하여 프랙티칼리즘(practicalism)이라 부른다. 우리는 이러한 노자적인 프랙티칼리즘의 구조속에 이미 『금강경』의 대승적 지혜가 마련되어 있었음을 깨닫게 된다. "彼岸"이니 "此岸"이니 하는 불교용어도 바로 이 12장의 "去彼取此"의 "彼・此"에서 비롯된 것이다. 그리고 피안(열반, nirvāṇa) 그 자체를 부정하고 차안(윤회, saṃsāra)의 현실을 긍정하는 대승의 지혜도 이 12장의 노자철학의 구조속에 이미 배태되어 있었던 것이다. 번뇌의 이(此) 현실이 바로 저(彼) 보리의 깨달음인 것이다. 보리(菩提, bodhi)가 곧 번뇌(煩惱, kleśa)요, 번뇌가 곧 보리인 것이다. 이 말은 곧 번뇌의 현실 속에 깨달음이 있다는 의미인 것이다. 그러므로 보리의 저 피안을 버리고(去), 번뇌의 이 차안을 취해야(取)하는 것이다. "煩惱卽菩提"라고 하는 대승불교의 핵심적 사상이 이미 老子의 "去彼取此"에 들어 있었던 것이다.

彼	目	彼岸	열반(nirvāṇa)	보리(bodhi)	去하고
此	腹	此岸	윤회(saṃsāra)	번뇌(kleśa)	取하라

왕필은 말한다 :

爲腹者, 以物養己; 爲目者, 以物役己。故聖人不爲目也。

배가 된다고 하는 것은, 사물로써 자기 몸을 기르는 것을 말하는 것이요, 눈이 된다고 하는 것은, 사물에 자기 몸이 부림을 당하는 것을 말하는 것이다. 그러므로 성인은 눈이 되지 않는다.

그 얼마나 함축적인 통찰인가!

十三章

寵辱若驚,
총욕약경,

貴大患若身。
귀대환약신。

何謂寵辱若驚?
하위총욕약경?

寵爲下,
총위하,

得之若驚, 失之若驚,
득지약경, 실지약경,

是謂寵辱若驚。
시위총욕약경。

何謂貴大患若身?
하위귀대환약신?

열셋째 가름

총애를 받으나 욕을 받으나
다같이 놀란 것 같이 하라.
큰 걱정을 귀하게 여기기를
내 몸과 같이 하라.
총애를 받으나 욕을 받으나
다같이 놀란 것 같이 하란 말은
무엇을 일컬음인가?
총애는 항상 욕이 되기 마련이니
그것을 얻어도
놀란 것 처럼 할 것이요,
그것을 잃어도
놀란 것 처럼 할 것이다.
이것을 일컬어
총애를 받으나 욕을 받으나
늘 놀란 것 같이 하라 한 것이다.
큰 걱정을 귀하게 여기기를
내 몸과 같이 하란 말은
무엇을 일컬음인가?

吾所以有大患者, 爲吾有身。
오소이유대환자, 위오유신。

及吾無身, 吾有何患!
급오무신, 오유하환!

故貴以身爲天下, 若可寄天下;
고귀이신위천하, 약가기천하;

愛以身爲天下, 若可託天下。
애이신위천하, 약가탁천하。

나에게 큰 걱정이 있는 까닭은
내가 몸을 가지고 있기 때문이다.
내가 몸이 없는데 이르르면
나에게 무슨 걱정이 있겠는가?
그러므로
자기 몸을 귀하게 여기는 것 처럼
천하를 귀하게 여기는 자에겐
정녕코 천하를 맡길 수 있는 것이다.
자기 몸을 아끼는 것 처럼
천하를 아끼는 자에겐
정녕코 천하를 맡길 수 있는 것이다.

| 説老 | 항우(項羽)에게 패잔의 고배를 마시게 한 한고조 유방

(劉邦, 256~195 B.C.)의 서자 劉長의 아들 중에 劉安(179~122
B.C.)이라는 인물이 있었다. 그러니까 한고조 유방의 손자인 셈
이다. 그 아버지 劉長은 모반을 일으켜 유배당하는 도중 죽었다.
그 10년 후 劉安은 아버지의 영토 일부를 계승받아 淮南王이
되었다.

이 회남왕 유안(리우안)은 대단한 박학지사였으며 文筆의 재
능이 뛰어났다. 그래서 이 회남왕 주변으로는 많은 文人과 任俠
之士들이 모여 들었다. 荊楚의 구문화를 보수적으로 계승하고
있는 이 淮河유역의 회남왕국에 모여든 이들은, 대부분이 한제
국의 새로운 패러다임에 참여할 수 없었던 비판적 지식인들이었
고, 통일제국의 체제 그 자체에 대해 부정적 시각을 가지고 있는
方外人들이었다. 따라서 이들은 유교를 중심으로 춘추제가의 잡
학을 통일시키려는 패러다임에 반대하여, 기본적으로 도가사상
을 중심축으로 해서 제자백가의 잡학을 통일시키려는 모종의 틀
을 가지고 있었다. 이들이 남긴 책이 유명한 『회남자』(淮南子)
라는 희대의 서물이다. 『회남자』는 노자철학의 한 역사적 발전
이다.

이 책의 『人間訓』이라는 데를 보면 이런 말이 나온다.

夫禍之來也, 人自生之; 福之來也, 人自成之。禍與福
同門。

대저 화가 나에게 오는 것도 내가 스스로 그것을 생하게 한
것이요, 복이 나에게 오는 것도 내가 스스로 그것을 이룬 것
이다. 화와 복이란 본시 한 문의 다른 이름일 뿐이다.

그리고 조금 지나가면, "近塞上之人, 有善術者……"(변경가
까이 사는 사람으로 세상 이치에 밝은 한 노인이 살고 있었는데……)라
는 구문으로 시작되는 한 고사가 나온다. 이것이 바로 우리가
일상생활에서 흔히 말하고 있는 "새옹지마"(塞翁之馬)라는 관
용구의 출전이다. 인간만사새옹마(人間萬事塞翁馬)라는 표현도
있고, 새옹실마(塞翁失馬)라 하기도 하고, 새옹득실(塞翁得失)
이니, 새옹화복(塞翁禍福)이니 하는 등등, 다양한 표현이 쓰이
고 있다.

여기서 말하는 새옹(塞翁)은 고유명사처럼 되어 버렸지만 본
시 고유명사는 아니다. "어느 변경요새에 살았던 세상을 달관한
늙은이"라는 뜻이다. 어떤 의미에서 이 새옹이야말로 바로 이

노자 13장의 정신을 구현한 한 역사적 늙은이(老子)였던 것이다.

이 새옹은 말을 잘 길렀다. 그리고 아주 사랑하는 애마가 한 마리 있었다. 그런데 어느 날 이 애마가 홀연히 국경넘어 오랑캐 땅(胡地)으로 도망가 버렸다. 이것을 안 동네사람들(隣人)들이 그가 크게 상심하리라고 생각하여 애통한 마음으로 위문을 왔다.

"얼마나 상심이 크시겠습니까?"

그러나 새옹은 조금도 슬픈 기색을 보이지 않았다. 그리곤 태연하게 다음과 같이 말하는 것이었다.

"지금의 화가 내일의 복이 될 수도 있는 것이요. 지금의 슬픔이 어찌 곧 기쁨이라 말할 수 있지 않으리오?"(此何遽不爲福乎！)

수개월이 지났다. 새옹의 예언대로, 그 잃어버린 말이 북방 오랑캐지역의 아주 훌륭한 준마(胡駿馬)를 한 마리 데리고 집으로 돌아온 것이다. 동네 사람들은 잔치분위기였다. 모두 들뜬 가슴을 안고 노인에게 경하를 하러 몰려왔다(人皆賀之). 그러나 그 노인은 조금도 기쁜 내색을 하지 않았다. 그리곤 또 차분히 다음과 같이 말하는 것이었다.

"오늘의 복이 내일의 화가 될 수도 있는 것, 지금의 기쁨이 어찌 곧 슬픔이라 말할 수 있지 않으리오?"(此何遽不能爲禍乎！)

그 새옹의 집엔 외아들이 있었다. 아버지가 말을 잘 길렀기 때문에 그는 말타기를 좋아했다. 새로 들어온 준마는 그에겐 너무도 싱싱한 매력이었다. 그 외아들은 어느 날 준마를 타고 달렸다. 그러다가 그만 낙마를 하고만 것이다. 비골(髀)이 크게 부러져 영영 다리병신이 되고 만 것이다. 온 동네가 상갓집 분위기가 되고 말았다. 그래서 모두 찾아와 노인의 슬픔을 위로했다(人皆弔之). 그러나 새옹은 조금도 슬픈 표정을 하지 않았다. 그리곤 또 다음과 같이 말하는 것이었다.

"지금의 화가 내일의 복이 될 수도 있는 것, 지금의 슬픔이 어찌 곧 기쁨이라 말할 수 있지 않으리오?"(此何遽不爲福乎！)

그리곤 일년이 지났다. 그런데 변경의 오랑캐가 대거 침입해 들어왔다. 대 전쟁이 벌어졌고, 장정이란 장정은 모두 징발되어 나갔다. 그리고 열 중 아홉이 목숨을 잃었다(死者十九). 그러나 새옹의 외아들은 다리병신이었기 때문에 징발되지 않았고, 父子

가 다 제명을 보전했다. 이야기는 여기서 끝난다.

그래서 회남자는 말한다:

故福之爲禍, 禍之爲福, 化不可極, 深不可測也。

그러므로 복이 화가 되고 또 화가 복이 되는 것은, 그 변화가
불측하여 그 끝을 알 수가 없고, 그 이치가 깊고 깊어 이루
다 헤아릴 수가 없다.

이 "새옹지마"의 이야기는 우리가 이미 다 아는 이야기라고
쉽게 흘려 버릴 수 있는 한 고사가 아니다. 우리가 인생을 살다
보면, 우리의 미래는 한치도 앞을 내다볼 수 없는 상황이 많다.
참을 수 없는 불운한 처지에 이유없이 당하는 느낌을 받을 때도
있고, 또 그러한 고통과 불운 속에서 예기치 못한 행운과 기쁨을
만날 수도 있다. 세속적으로 엄청난 행운과 성공을 거둔 자의 삶
의 순간에 이미 불운의 어두운 그림자가 드리워져 있을 수도 있
다.

그런데 이 새옹지마의 고사는 기본적으로『노자』13장의 "총
욕약경"(寵辱若驚, 총애를 얻거나 욕을 얻거나 다 놀란 것 같이 하라)

을 배경으로 해서 생겨난 것이다. 행운(寵)과 불운(辱)에 대해
다 놀란 것 같이 하라는 것이다. 그런데 이 구절의 이해에 있어
서 우리가 매우 조심할 것이 있다.『신약성서』에 보면, "환난을
극복한다"든가, "의를 위하여 핍박을 받는 자는 복이 있다"든
가, "나로 인하여 핍박을 받는 자는 복이 있나니 기뻐하고 즐거
워하라 하늘에서 너희의 상이 큼이라. 너희 전에 있었던 선지자
들이 이와 같이 핍박당하였다"는 등의 이야기가 많이 나온다.
그러나 노자가 말하는 "총욕약경"이란 "오늘의 환난을 내일의
영광으로 이끈다"고 하는 "역경극복"(to strive to overcome)
의 노력을 의미하는 것은 아니라는 것이다. 이런 식의 사고야말
로 서구적 가치관의 대표적인 것이고, 또 오늘 우리나라 사람들
의 대부분의 삶의 태도의 수준을 나타내는 것이다. 다시 말해서,
오늘날 팽배된 기독교적 가치관 속에서는 오늘의 이승에서의 고
난을 잘 참아내면 내일의 저승(하늘나라)에서의 영광과 보상
(Reward)이 있다는 것이다. 물론 이러한 식의 고난극복 태도도
우리 삶에서 꼭 배제되어야 할 가치는 아니다. 그러나 이러한 서
구인과 요즈음 한국인의 생각은 너무도 천박한 것이다.

내일의 보상(Reward)이 있기 때문에 오늘의 고난을 인내하고
극복한다는 것은 지극히 자기기만적인 편협한 생각이다. 대부분
의 목사님들의 설교의 수준이 여기에 머무르고 있는 것이다.
『회남자』의 첫 머리를 생각해보자! 이것은 불교가 중국에 들

어오기 전의 중국적인 생각인 것이다.

오늘의 나의 고난 자체가 가만히 잘 생각해보면 내가 스스로 지어낸 고난일 수 있다는 것이다.(夫禍之來也, 人自生之。) 따라서 그것은 진짜 고난이 아닐 수도 있다. 순교자가 순교를 당하는 상황도 어찌보면 자기가 스스로 자초한 연극적 상황일 수도 있다는 것이다. 물론 나는 지금 순교자 개인의 진실을 의심하고 있는 것은 아니다.

"총욕약경"이란 이 천하의 명언은, 나의 환난과 나의 영광 그 자체에 대한 나의 분별적 인식을 해소시켜야 한다는 것이다. 그것이 곧 새옹의 담담한 인생자세이다. 말을 잃어버리나 말을 얻으나, 복을 얻으나 복을 잃으나, 다 그것을 화·복이라는 인간의 가치술어로 이해하고 즐거워하고 애통해하지 **않는** 삶의 담박한 자세인 것이다. "총욕약경"이란 바로 『노자』2장의 가치론에서 이미 연역되어 나오는 인생의 가치관인 것이다. 즉 "아름다움"(美)이라고 생각하는 것이 곧 "추함"(惡)일 수도 있고, 善이라고 생각하는 것이 곧 不善일 수도 있다는 것, 그래서 有·無니, 難·易니, 長·短이니 하는 따위의 우리의 상대적 개념 자체가 상보적 관계로서 파기되어야 한다는 것이다. 불운(辱)이니 행운(寵)이니 하는 따위가 근원적으로 우리 인식의 개념적 조작의 산물이라는 것이다.

이러한 노자의 이야기를 근원적으로 이해할 때, 우리는 인생에서 오히려 많은 환난을 극복할 수 있는 힘을 얻는다. 우리가 환난을 당했을 때 먼저 체크해봐야 할 것은 과연 이 환난이 진정으로 환난인가 하는 것이다. 이것이 나의 관념이 만든 픽션이 아닌지? 대립하고 싸우기 이전에, 한 발짝 물러서면 아무것도 아닌 시시한 이야기가 되어버릴 수도 있다는 것이다. 이것이 바로 노자의 지혜요, 『구약』의 욥의 지혜다. 욥은 터무니 없이 억울한 환난도 근원적으로 환난으로 이해하지 않는 것이다. 다시 말해서 「욥기」(the Book of Job)의 지혜문학(Wisdom Literature)도 순수하게 老子的 관점에서 해석되어야 한다는 것이다. 지혜는 극기가 아니다. 지혜는 극기의 기(己) 그 자체를 근원적으로 해소시키는데서 출발하는 것이다. 그래서 노자는 말한다.

내가 몸이 없는데
나에게 무슨 환난이 있으리오?

及吾無身, 吾有何患?

여기 "無身"이라 함은 나중에 불교문학에 있어서는 물론 "無我"(anātman)로 이해되었지만, 도가에서는 보다 구체적으

로 연단(練丹)류의 신체단련과 관련된 함의를 지니고 있다. 그
리고 "無身"이라 할 때의 "身"은 기본적으로 부귀공명을 추구
하는 욕망의 주체로서의 身이다. 이 身을 단련하여 "無知無欲"
(3장)의 경지에 이르게 되면 근원적으로 나의 삶의 환난은 해소
될 수 있는 것이다. 선지자나 예언자나 순교자의 진실도 때로는
그것이 자신의 욕심에서 기인된 환난일 수 있는 것이다. 그러한
진리를 우리는 버려야 하는 것이다.

마지막으로 노자는 말한다. 天下를 내 몸과 같이 귀하게 여
기고 아끼는 자에게는 천하를 맡길 수 있다. 오늘날의 정치인들
에게 한번 물어보자! 과연 그대들은 그대들이 살고 있는 이
세상 자체를 내 몸처럼 아끼고 귀하게 여기고 있는가?

여기 "몸이 없다"와 "몸을 아끼고 귀하게 여긴다"는 상충되
는 말처럼 들릴 수도 있다. 그러나 결국 이 말은 노자에게서는
동일한 언어다. 내 몸이 없어지는 것이 곧 내 몸을 아끼는 것이
기 때문이다.

큰 환난을 귀하게 여기기를 내 몸과 같이 하라!

貴大患若身。

이 말에 대해 내가 할 말이 있다. 나는 평생을 "관절염" (rheumatoid arthritis)과 더불어 살았다. 내가 생각이 얕은 기독교 신자였을 때는 나는 항상 주님께 기도하고 매달렸다.

"오 주여 ! 이 환난을 극복할 힘을 주소서 ! 주님께서 이 나의 고통을 치유해주실 것을 믿습니다. 나는 당신의 종이로소이다. 아멘 ! "

그러나 내가 老子를 만나고 나서부터는 내 기도가 달라졌다. 더 이상 나는 나의 관절염을 극복해야 할 대상으로 파악하지 않게 된 것이다. 나는 관절염이라는 나의 신체현상을 내가 정복해야할 대상으로 대적시하지 않게 되었다. 관절염이야말로 내가 가장 귀하게 여기고 가장 대접해야 할 위대한 친구라는 것을 발견하게 된 것이다. 나는 이 글을 쓰는 이 순간에도 오른쪽 무릎이 심하게 시리다. 평생을 이렇게 살아왔다. 그러나 나는 이제 나의 관절염과 더불어 사는 법을 배운 것이다. 그를 귀하게 여기기를 내 몸과 같이 할 수 있게 된 것이다. 그리하면 언젠가 서서히 관절염은 소리없이 사라질 것이다. 30년 이상 나를 괴롭혔지만 그 위대한 나의 친구가 없었더라면 오늘의 나의 모습은 존재하지 않았을 것이다. 나의 관절염이야말로 나의 모든 낙관과 비관과 열정과 통찰과 영감의 원천이었다. 그 귀한 친구가 없었더라면 나는 평범한 건강인이 되었을지는 몰라도 오늘과 같이 깊

은 통찰의 지혜를 만인과 더불어 이야기할 수 있는 도올 김용옥
은 되지 않았을 것이다.

　조선의 젊은이들이여 !　그대들의 고통과 환난과 아픔을 극복
하려하지 말라 !　그것을 내 몸과 같이 귀하게 여기어라 !

　본 장은 帛書에도 있고 요번에 출토된 곽점죽간에도 거의 온
전한 상태로 들어 있다. 뜻의 큰 변화가 없어 죽간이나 백서의
해석을 생략한다. 우리가 주목해야 할 사실은 바로 이 13장이야
말로 『노자』라는 텍스트의 가장 오리지날한 성격을 대변한다는
사실이다. 『노자』는 원래 이러한 양생(養生)의 지혜로부터 출발
한 서물이라는 것을 우리는 재확인할 수 있는 것이다.

KWOOZ

十四章

視之不見, 名曰夷;
시지불견, 명왈이;

聽之不聞, 名曰希;
청지불문, 명왈희;

搏之不得, 名曰微。
박지부득, 명왈미。

此三者, 不可致詰,
차삼자, 불가치힐,

故混而爲一。
고혼이위일。

其上不皦,
기상불교,

其下不昧。
기하불매。

繩繩不可名, 復歸於無物。
승승불가명, 복귀어무물。

是謂無狀之狀, 無物之象。
시위무상지상, 무물지상。

是謂惚恍。
시위홀황。

열넷째 가름

보아도 보이지 않는 것을
이름하여 **이**라 하고,
들어도 들리지 않는 것을
이름하여 **희**라 하고,
만져도 만져지지 않는 것을
이름하여 **미**라 한다.
이·희·미 이 셋은
꼬치꼬치 캐물을 수 없다.
그러므로 뭉뚱그려
하나로 삼는다.
그 위는 밝지 아니하고,
그 아래는 어둡지 아니하다.
이어지고 또 이어지는데
이름할 수 없도다.
다시 물체없는 데로 돌아가니
이를 일컬어
모습없는 모습이요
물체없는 형상이라 한다.
이를 일컬어
홀황하다 하도다.

迎之不見其首,
영지불견기수,

隨之不見其後。
수지불견기후。

執古之道, 以御今之有。
집고지도, 이어금지유。

能知古始,
능지고시,

是謂道紀。
시위도기。

앞에서 맞이하여도
그 머리가 보이지 않고,
뒤에서 따라가도
그 꼬리가 보이지 않는다.
옛의 도를 잡어
오늘의 있음을 제어한다.
능히 옛 시작을 파악하니
이를 일컬어
도의 벼리라 한다.

説老 이 장은 『노자』 전 텍스트 중에서도 아주 이론적이고, 매우 인식론적이며, 형이상적인 냄새가 물씬 풍기는 아주 깊이 있는 장이다. 이런 장이 죽간에 있겠는가, 없겠는가? 물론 14장은 죽간에 나타나지 않는다. 그러나 帛書에는 거의 그대로 다 들어 있다. 나는 개인적으로 이런 장의 깊이를 사랑한다. 노자철학을 만들어 간 사람들의 아주 조직적인 통찰력을 읽어낼 수 있다.

우리가 이 장을 이해하기 위하여 꼭 알아야 할 고사가 하나 『장자』라는 책에 실려있다. 물론 『장자』의 이런 고사도 『노자』의 14장 사상을 바탕으로 하여 생겨난 것임을 우리는 쉽게 알아차릴 수 있다. 동양인의 인식론, 그리고 불교가 들어오기 이전에 이미 중국인들에게 고유했던 인간의 세계인식방법, 그리고 인간의 감관(sense organs)에 대한 생각의 전형을 이 고사를 통해 우리는 알 수가 있다. 『장자』의 內編의 제일 마지막 편인 제7편 「應帝王」(응제왕, Fit for Emperors and Kings)이 끝나는 부분에 이 "혼돈"(渾沌)의 고사가 자리잡고 있는 것이다.

보통 현재 우리 한국말로 "혼돈"(渾沌=混沌)이라고 하면, 어지럽고 정돈안되고 정보가 없는 상태를 말한다. 혼돈스럽다는 것은 즉 무질서의 상태를 의미한다. 그런데 중국고전, 특히 도가 계열의 책속에서 이 "혼돈"이라는 말은 그렇게 부정적인 맥락에서 쓰인 말이 아니다.

희랍인들은 우리가 살고 있는 질서있는 세계를 "코스모스" (kósmos)라고 불렀다. 코스모스라는 말은 피타고라스(Pythagoras, 582~500 B.C.)가 제일 먼저 사용했는데, 그것은 수학적 비례의 질서, 조화(harmonia)를 갖춘 세계라는 뜻이었다. 바로 이러한 코스모스에 반대되는 말이 "카오스"(chaos)이다.

코스모스	질 서	희랍철학의 중점
카 오 스	혼 돈	노자철학의 중점

그런데 사실 "카오스"라는 의미는 희랍인들의 세계관에 있어서도, 그것은 단순한 무질서를 의미하는 것은 아니었다. 그것은 코스모스가 생겨나기 이전의 상태, 즉 규정할 수 없는 상태를 의미하는 것이었다.

그러나 희랍인들은 카오스의 상태보다, 물론 가치론적으로 코스모스의 상태를 더 우위에 놓는다. 희랍인들은 카오스에 대해서 코스모스(질서)를 사랑하는 것이다. 그런데 노자는 기본적으로 코스모스보다 카오스를 더 사랑하는 것이다. 노장사상은 한마디로 카오스의 철학인 것이다. 희랍인들이 말하는 카오스가 바로 장자에게서 "渾沌"이라는 말로 나타나고, 그것은 일반명사가 아닌 신의 이름으로 등장한다.

거대한 바다, 『太一生水』가 말하는 물의 세계! 저 남쪽바다에는 숙(儵)이라는 이름의 신이 살고 있었고, 저 북쪽바다에는 홀(忽)이라는 이름의 신이 살고 있었다. 그런데 남·북을 가릴 수 없는 그 중앙 한가운데 혼돈(渾沌)이라는 신이 살고 있었다.

北海之帝	忽
中央之帝	渾沌
南海之帝	儵

어느 날 이 홀과 숙이 혼돈신의 땅인 중앙에서 만나 놀게 되

었다. 그런데 중앙의 신인 혼돈이 이 홀과 숙을 극진하게 융숭하게 대접하였다. 홀과 숙은 어떻게 이 혼돈신의 융숭한 대접에 보답할 수 있는가를 의논하였다.(儵與忽謀報渾沌之德。) 그들은 기나긴 숙고 끝에 아주 기발한 결론에 도달하였다.

본시 사람들은 얼굴에 일곱구멍이 있어 볼 수 있고, 들을 수 있고, 먹을 수 있고, 숨 쉴 수 있다.(人皆有七竅, 以視聽食息。) 그런데 혼돈신에게는 이러한 구멍이 아무것도 없다는 것을 생각해낸 것이다.

여기 일곱구멍이란 눈구멍 두 개, 귓구멍 두 개, 콧구멍 두 개, 입구멍 하나를 뜻한다. 이것은 중국인들이 생각한 시각+청각+후각+미각의 감각기관을 총칭하는 것이다. 즉 희랍인들이나 인도인들은(모두 인도 아리안 계열) 인간의 감관을 眼(시각)·耳(청각)·鼻(후각)·舌(미각)·身(촉각)의 5관(Five Senses)이라고 개념적으로 생각했지만, 중국인들에게는 5관이라는 개념대신 "일곱구멍"(七竅)이라는 內·外 통로개념의 현상적 인식만 있었던 것이다.

그래서 이 홀과 숙은 혼돈의 신에게, 자기들이 감관으로 누릴 수 있는 기쁨을 미루어, 일곱구멍을 선사하는 것이 최대의 보답선물이 될 것이라고 생각했다. 그래서 일곱구멍을 뚫어주기로

작정했다.(此獨無有, 嘗試鑿之。) 그런데 일곱구멍을 하루에 한 꺼번에 뚫게되면 무리가 될 것 같아, 하루에 한 구멍씩만 뚫기로 했다. 드디어 하루에 한 구멍씩 뚫기 시작했다. 하루에 한 구멍 씩! 하루에 한 구멍씩! 자아 어떻게 될까? 중앙의 혼돈의 신 은 이제 뭇 인간이 누리는 감관의 쾌락을 누릴 수 있게 될 것인 가? 드디어 구멍이 열릴 것인가? 모든 구멍이 다 열린 일곱째 날, 혼돈은 죽고 말았다.(七日而渾沌死。) 이것이 바로 이 위대 한 장자의 신화의 마지막 말이다.

「창세기」의 하나님은 첫날 빛을, 둘째날 하늘을, 셋째날 마른 땅과 푸른 움을, 넷째날 밤과 낮을, 다섯째날 물고기와 새를, 여 섯째날 온갖 짐승과 사람을 창조하셨다. 그리고 일곱째날은 편 안히 쉬셨다.

이『장자』의 설화가 말하는 일곱구멍의 창조는 거의 「창세 기」의 창조신화와 맥을 같이 한다. 일곱구멍을 뚫는다 함은 곧 일곱구멍을 통해 느낄 수 있는 세계의 창조를 의미하기 때문이 다. 그런데 「창세기」 신은 일곱째날 편히 쉬셨는데, 「응제왕」 의 혼돈의 신은 일곱째날 죽음을 맞이했다. 즉 코스모스의 창 조는 카오스의 죽음을 의미하는 것이었다. 그것은 코스모스의 질서의 탄생의 기쁨이 아닌 혼돈의 죽음의 비극적 장송곡이었 던 것이다. 이것은 과연 무엇을 의미하는가?

우선 南海, 北海에 대하여 "中央"이란 설정부터가 재미있다. 이 中央은 바로 우리가 논의해온 "虛" 즉 "無爲的 질서"의 상징이다. 中央이란 곧 무규정성(the Unconditioned)을 의미하는 것이요, 무한한 가능태를 의미한다. 중앙의 혼돈의 신에게 일곱구멍이 없다는 것은, 곧 일곱구멍으로 파악되는 코스모스(질서) 이전의 어떤 원초적 카오스가 그에게 충만한 가능성으로서 생동치고 있었다는 것을 의미한다. 그런데 불행하게도 남·북의 규정된(the Conditioned) 신들은 그에게 바로 그 규정성의 상징인 일곱구멍을 선사하기로 마음먹었던 것이다. 그런데 이 일곱구멍의 뚫음은 곧 카오스의 죽음을 의미하는 것이다. 여기서 장자나 노자가 말하고 싶은 것은 인간의 감관의 인식이 얼마나 편협한 것인가를 말하려는 것이다. 감관적 세계의 거부! 그리고 혼돈의 질서에로의 회귀를 이 신화는 강력히 외치고 있는 것이다. 인간의 모든 비극은 바로 이 칠규(일곱구멍)의 비극인 것이다. 그리고 노자가 말하는 道의 세계는 이러한 칠규의 한정성이나 욕망 이전의 진실임을 명료하게 주장하고 있는 것이다. 바로 혼돈신(God Chaos)의 세계야말로, 보아도 보이지 않고, 들어도 들리지 않고, 만져도 만져지지 않는 **이·희·미**의 세계인 것이다. 夷(이), 希(희), 微(미)는 그 의미상으로 보면, 튀쳐남이 없이 평탄하고(夷), 희박하고 가믈가믈하며(希), 미묘하다(微)는 뜻을 내포하지만, 이 세 글자가 모두 같은 韻을 밟고 있다는 것을 쉽게 알 수 있다. 이 "이희미"의 세계야말로 가믈가믈하고 미묘한, 명료한 인간의 감관인식이 미칠 수 없는, 그 이전의 혼돈의 상태인 것이다. 夷는 無色의 세계며, 希는 無聲의 세계며, 微는 無形의 세계인 것이다.

1. 此三者, 不可致詰, 故混而爲一 :

이·희·미 三者의 세계는 致詰(치힐)될 수 없다. 그것은 꼬치꼬치 캐물을 수 없는 것이다. 여기 "치힐"이란 카오스는 지적 분석의 대상이 될 수 없다는 것을 말하는 것이다. 그것은 분명 현대 영미분석철학적인 논리분석의 대상이 될 수 없는 것이다. 그것은 오히려 비트겐슈타인이 말하는 침묵의 세계인 것이다. 비트겐슈타인은 침묵의 세계를 비판하는 사상가가 아니다. 그는 오히려 애호하는 사상가인 것이다. 비트겐슈타인이야말로 20세기 도가사상가 중의 한 사람이었다.

"이희미" 3자는 하나하나 분석되어 따져질 수 없음으로(不可致詰), 그것을 뭉뚱그려(混) 하나로 만든다(爲一)라고 했을 때 "뭉뚱그린다"라는 단어가 바로 "혼돈"의 "혼"자인 것을 생각하면 혼돈신화의 배경을 잘 알 수 있을 것이다. 하나로 만듦(爲一)의 하나(一)는 곧 中央이요 혼돈이다. 그것은 우리의 개념적 인식으로 분석되기 이전의 온전한 전체(the holistic Whole)인 것이다. 하나(一)가 곧 도(道)요, 그것이 곧 "太一生水"의 "太一"인 것이다.

2. 其上不皦, 其下不昧 :

『주역』「계사」에 "形而上者"와 "形而下者"라는 말이 나온
다. 아마도 여기의 其上, 其下라는 표현은 「계사」의 形而上者,
形而下者와 같은 맥락의 말일 것이다. 그러나 우리가 조심해야
할 것은 其上, 其下는, 도라는 물체가 있고 "그 위," "그 아래"
라는 뜻이 아니라는 것이다. 도라는 "一"은 전체며, 전체는 곧
그 밖의 上·下라는 개념을 거부한다. 따라서 上·下는 道라는
一者 내의 사태를 의미하는 것임을 알아야 한다. 그렇다면 道內
의 上·下의 구분이 있다고 한다면 그 上은 분명히 우리에게서
멀리 있는 세계며 따라서 어두울 것이요, 그 下는 분명히 우리
에게서 가까이 있는 세계며 밝을 것이다.

上	어둡다
下	밝다

그러나 上은 어둡고(昧), 下는 밝다(皦)라고 하면 이러한 표현
에 있어서는 上과 下의 二元的 분할(dualistic separation)이
일어나 버린다. 이러한 二元的 분할을 막는 표현은 바로 양자를
엇물리게 하는 부정의(neti) 방법으로 양자를 비실체적으로 규정

하는 것이다. 따라서 그 표현은 이와 같이 바뀐다.

上	밝지 않다
下	어둡지 않다

이러한 방식으로 노자는 철저하게 이원론의 오류(the Fallacy of Dualism)를 피해가고 있는 것이다.

3. 繩繩不可名, 復歸於無物 :

그 위가 밝지 않고(不皦), 그 아래가 어둡지 않은(不昧) 도는 時空의 전체를 포함하는 것이요, 이 시공의 전체란 하나의 연속태이다. 그것은 스페이스·타임 콘티니엄(Space-Time Continuum)이며, 그것은 라이프 콘티니엄(Life Continuum)이다. 이러한 콘티니엄을 노자는 "繩繩"이라는 시적인 언어로 표현하고 있는 것이다. "승승"이란 새끼줄이 계속 끊이지 않고 이어지는 모습이다. 이미 6장 곡신불사(谷神不死)장에서 "면면"이라는 말로 언급한 적이 있다.

6장	緜緜若存。
14장	繩繩不可名。

연속체는 존재의 대상이 아니다(若存). 그리고 그것은 시공의 구현의 가능태이며 궁극적으로 인간의 개념적 언어로 이름지울 수 있는 것이 아니다. 그러므로 그러한 연속태(Continuum)는 구체적 物적 존재의 연속이 아니다. 그것은 근원적으로 "無物"이다. 多夕선생은 "無物"을 "없몬"이라 번역하셨는데, 좀 억지스러운 우리말 번역이다. "無物"이란 구체적 물상이 근원적으로 해소되는 모든 物의 가능태이다.

4. 是謂無狀之狀, 無物之象 :

이를 일컬어 모습없는 모습이요, 물체없는 형상이라 한다. "無狀之狀," "無物之象"이라는 표현은 노자의 파라독스를 잘 표현하는 말로서 너무도 잘 인용되고 있다. 모습이 없으면 모습일 수 없다. 그런데 노자는 모습없는 모습을 말한다. 물체가 없으면 형상을 말할 수 없다. 그러나 노자는 물체없는 형상을 말한다. 그것은 모습이 없다 말할 수도 없는 것이요, 모습이 있다 말할 수도 없는 것이다. 모습이 없는 것 그 자체가 하나의 모습이요, 그것이 곧 모습이 있는 것이다. 모습이 없는 것이 곧 모습이 있는 것이요, 모습이 있는 것이 곧 모습이 없는 것이다. 어느 일곡에 치우칠 수 없다. 이것은 현대 양자역학의 이론들이 말하는 제 현상을 잘 생각해보면 쉽게 이해가 갈 것이다. 없는 것이 곧 있는 것이요, 있는 것이 곧 없는 것이다. 王弼은 앞의 6장과 이 14장에 이러한 존재론의 거부에 관한 재미있는 주석을 달아 놓았다. 6장의 주석은 앞서 해설한 바 있다.(『上』, 264~5쪽).

6장	欲言存邪, 則不見其形; 欲言亡邪, 萬物以之生。故緜緜若存也。
14장	欲言無邪, 而物由以成; 欲言有邪, 而不見其形。故曰無狀之狀, 無物之象也。

14장 왕필주의 해석은 다음과 같다:

없다고 말하려 하면 만물이 그로 말미암아 이루어지고 있고, 있다고 말하려 하면 그 형체를 볼 수가 없다. 그래서 모습없는 모습이요, 물체없는 형상이라 말한 것이다.

이것과 관련되어 『노자』의 현존하는 최초의 주석자인 한비자는 다음과 같은 재미있는 말을 하고 있다. 한비자의 말을 인용하기 전에 우리는 여기 텍스트에서 문제가 되고 있는 한 글자를 생각해보지 않으면 안된다. 그 글자는 바로 "無物之象"의 "象"이라는 글자다. 이 象에 대한 한비자의 해석은 오늘날 카씨러가 말하는 "상징성"(Symbolism)에 관한 모든 논의의 인식론적 실마리를 제공하는 것이다.

"象"이라는 글자는 우리가 보통 코끼리 상 자라고 훈한다. 상아(象牙)도장이니, 상아젓가락이니 하는 것을 기억하면 그 일상적 의미를 쉽게 알 수 있을 것이다. 象이라는 글자를 옆으로 뉘여보면 그것이 그 모습 그대로 이미 하나의 코끼리의 상형자임을 쉽게 연상할 수 있다.(그 상형자가 甲骨文에 정확히 나오고 있다. 甲骨文에 관해서는 최영애 지은 『漢字學講義』[통나무, 1995]를 참고할 것.) 중국에는 古來로부터 코끼리가 있었다는 자연사적 사실을 이러한 글자를 통해서도 알 수가 있다. 그러나 이 코끼리라는 뜻의 정확한 상형자가 어떻게 해서 "모습" 즉 "심볼"이라는 뜻을 갖게 되었는가? 이에 대해 한비자는 너무도 기발한 주석을, 『노자』를 해석하면서 달고 있는 것이다.

人希見生象也。而得死象骨, 案其圖以想其生也。故諸

人之所以意想者, 皆謂之象也。今道雖不可得聞見, 聖
人執其見功, 以處見其形。故曰, 無狀之狀, 無物之象。

사람들은 살아있는 코끼리를 직접 보기는 매우 어렵다. 그래
서 대개 죽은 코끼리 뼈를 얻어, 그 전체 도상을 그려보고,
그 산 모습을 상상해내는 것이다. 그러므로 뭇 사람들이 의
식으로써 상상해내는 것을 모두 일컬어 상(象, 심볼)이라 하
는 것이다. 지금 도는 비록 산 코끼리처럼 직접 보고 들을 수
는 없어도, 성인은 그것의 드러난 공능을 잡아 그 모습을 구
체적으로 드러내볼려고 노력한다. 그래서 노자가 말하기를
"모습없는 모습"이요, "물체없는 형상"이라 한 것이다.

한비자의 법가적 현실주의는 노자의 해석에 있어서 조차도 역력
하다. "無狀之狀"이라는 아이러니칼한 표현속에서 노자의 강조
점은 어디까지나 "無狀"에 있다. 그러나 한비자의 강조점은 무
상(無狀)이 아닌 "狀"에 있는 것이다.

노자의 강조	한비자의 강조
無狀之	狀

그러나 이 한비자의 주석에 있어서 놀라운 것은 "象"을 "意想"으로 규정하고 있다는 것이다. 즉 현실적 물체의 모습(physical shape)이나 형태를 즉물적으로 지칭하는 것이 아니라, 어디까지나 우리의 의식으로 구성한 심볼릭 레퍼런스(symbolic reference)를 의미하고 있다는 것이다. 이것은 선진철학의 한 도약이다. 즉 즉물적 형체의 개념에서 비즉물적, 이념적 상징성으로 비약하고 있다는 것이다. 그리고 이러한 새로운 개념이, 한비자의 철학에 있어서 "理"라는 개념과 연결이 되고, 또 이것이 바로 후대의 송명유학 理氣論의 남상(濫觴)을 이루는 것이라는 사실을 한번 기억해둠직 하지만, 이 문제는 또 하나의 거대한 주제임으로 여기 그 일단을 시사하는 것만으로 그치는데 만족해야 할 것이다.

5. 是謂惚恍 :

우리가 일상생활에서 쓰는 "황홀"이라는 말이 원래 『노자』라는 텍스트에서 유래된 것이라는 사실을 인지하는 사람은 별로 없을 것이다. "황홀"이나 "홀황"이나 중복되는 의미의 형용사적 단어의 배열의 문제일 뿐, 완전히 동일한 표현이다.(21장 참조).

그런데 우리가 보통 "황홀"이라고 하면 그것은 우리 신체에 퍼져있는 신경의 말단에서 분비되는 신경전달물질(neurotrans-mitters)의 자극에 의한 어떤 변화된 의식의 상태(a state of altered consciousness), 즉 우리가 흔히 트란스(trance)라고 부르는 몽롱한 느낌을 말하고 있다. 그것은 때로 의식이나 인지 능력의 저하를 의미할 수도 있고, 때로는 주변의 인지가 감소되는 어떤 특정한 포카스의 과도한 집중(heightened focal awareness)을 의미할 수도 있다. 그러나 노자가 말하는 "황홀"이란, 매우 우주론적인 기술(cosmological description)이다. 상·하와, 밝음·어두움이 구분되지 않는 토탈한 우주의 상태, 모든 존재가 생성되는 비존재(無物)의 상태, 모습없는 모습의 그 근원적 인식을 가리켜 "황홀," "홀황"이라 하고 있는 것이다. 그것은 곧 우리의 의식에 명료하게 구분되어 나타나는 모든 名言 이전의 무차별적 상태를 말하는 것이다. 불교적 해탈도 하나의 "황홀"이다. 그래서 그것은 앞에서 맞이하여도(迎之), 그 머리를 볼 수가 없고(不見其首), 뒤에서 따라가도(隨之) 그 꼬리가 보이지 않는다(不見其後). 선·후의 시간조차가 해소되는 그 시간 이전의 상태를 노자는 "황홀"이라 표현한 것이다.

6. 執古之道, 以御今之有 :

옛 길을 잡아 지금의 현존재(有)를 콘트롤한다는 생각은 우리가 일상생활에서 흔히 하는 생각일 것이다. 우리가 역사를 배우는 것도 오늘이 곧 과거의 역사라는 뿌리에서 내려온 연장상태라고 한다면 그 근원이 되는 과거역사를 배워 오늘의 문제를 파악한다 하는 것은 조금도 어색한 일이 아니다. 치수(治水)를 할 때도 아무리 말류(末流)에서 제방공사를 해봤자 곧 터지고 말 것이라는 것은 너무도 명약관화하다. 항상 그 근원(根源)부터 물 흐름을 잡아나가야 할 것이다. 古之道를 執하여 今之有를 御한 다는 것, 노자의 道에 대한 생각을 생각할 때, 그것은 너무도 당연하다. 즉 道는 드러나는 萬物의 末流的 현상에 대해 보다 본원적인 原流的 성격을 가지고 있기 때문이다. 그런데 여기 재미있는 하나의 텍스트의 문제가 발생했다. 帛書 甲·乙본에 모두 이 구절이 명확하게 다르게 쓰여있는 것이다.

王本	執古之道, 以御今之有。
甲本	執今之道, 以御今之有。
乙本	執今之道, 以御今之有。

甲·乙本이 일치하는 상황에서 "執今之道"의 今이 古의 誤寫일 가능성은 거의 전무하다. 다시 말해서 백서『노자』본의 명료한 의미는 "오늘의 道를 잡아, 오늘의 有를 제어한다"는 뜻이다. 즉『노자』원텍스트에는 "古之道"라고 하는 "복고적," "근원회고적" 시간개념이 없었다고 생각할 수가 있다. 다시 말해서

道와 有의 관계가 꼭 古와 今의 관계일 필요가 없다는 것이다. 古와 今의 시간적 관계가 전제되지 않는다 해도 道와 有의 관계는 이미 근원과 말류의 관계일 수 있기 때문이다. 그렇다면 王本은 다음에 나오는 "古始"라는 전제 때문에, "今之道"를 "古之道"로 바꾸어 그 일관된 맥락을 유지하려 했을 것이다. 그러나 帛書本으로 추정해 보건대 노자의 원래 의도는 今之道를 잡아, 今之有를 제어하고, 그렇게 함으로써 古始를 알 수 있다 라고 하는, 보다 역동적인 의미 맥락이었을 것이다.

따라서 다음의 구절의 첫 시작이 되는 접속사가 매우 중요하다.

王本	能知古始, 是謂道紀。
乙本	以知古始, 是謂道紀。

王本은 그 앞에서 일단 문맥을 끊고, "能"(할 수 있다)으로 접속시켰지만, 乙本은 앞의 문맥을 받아 "그렇게 함으로써"라는 뜻의 "以"로 접속시킨 것이다. 그러나 하여튼 이 장의 최종적 결론은 명료하다.

```
┌─────────────────────────────┐
│        古 始 = 道 紀         │
│      (옛 시작)   (도의 벼리)  │
└─────────────────────────────┘
```

"옛시작"이야말로 우리가 살고 있는 세계의 "도의 벼리"인 것
이다. 시간에 대한 통관적 이해가 없이, 우리는 오늘의 질서를
파악할 수가 없는 것이다. 오늘의 젊은이들이여! 그대들의 존
재의 역사를 알라! 그리고 그 근원을 파악하라! 그 근원의
파악으로부터 모든 말류적 현상을 포섭해야 하는 것이다. 컴퓨
터 모니터 화면속에서 도의 벼리(道紀)가 다 찾아지지는 않는다.
그것은 입력된 사태의 출력일 뿐인 것이다.

十五章

古之善爲士者,
고지선위사자,

微妙玄通, 深不可識。
미묘현통, 심불가식。

夫唯不可識, 故强爲之容:
부유불가식, 고강위지용:

豫焉, 若冬涉川;
예언, 약동섭천;

猶兮, 若畏四鄰。
유혜, 약외사린。

儼兮, 其若容;
엄혜, 기약용;

渙兮, 若氷之將釋。
환혜, 약빙지장석。

敦兮, 其若樸。
돈혜, 기약박。

曠兮, 其若谷。
광혜, 기약곡。

열다섯째 가름

옛부터 도를 잘 실천하는 자는
세미하고 묘하며
가믈하고 통한다.
너무 깊어 헤아릴 길 없다.
대저 오로지
헤아릴 길 없어
억지로 다음과 같이 형용한다:
머뭇거리네
겨울에 살얼음 냇갈을 건너는 것 같고
쭈물거리네
사방의 주위를 두려워 살피는 것 같다.
근엄하도다
그것이 손님의 모습과 같고
흩어지도다
녹으려하는 얼음과 같다.
도탑도다
그것이 질박한 통나무같고
텅비었도다
그것이 빈 계곡과 같네.

混兮, 其若濁,
혼혜, 기약탁,

孰能濁以靜之徐淸?
숙능탁이정지서청?

孰能安以久, 動之徐生?
숙능안이구, 동지서생?

保此道者不欲盈。
보차도자불욕영。

夫唯不盈, 故能蔽不新成。
부유불영, 고능폐불신성。

혼돈스런 모습이여

그것이 흐린 물과도 같도다 !

누가 능히 자기를 흐리게 만들어

더러움을 가라앉히고

물을 맑게 할 수 있겠는가?

누가 능히 자기를 안정시켜 오래가게 하며

천천히 움직여서 온갖 것을 생하게 할 수 있겠는가?

이 도를 보존하는 자는

채우려 하지 않는다.

대저 오로지 채우려하지 않기에

그러므로 능히 자기를 낡게하면서

새로이 이루지 아니할 수 있는 것이다.

説老 이 장의 느낌은 한 편의 시인 동시에, 또『노자』라는 책을 쓴 사람의 인격적 깊이를 느끼게 해주는 아주 리얼한 면모를 지니고 있다. 이렇게 생생한 느낌, 개념적이 아니면서, 아주 개인의 삶의 태도와 직결되어 있는 어떤 수양론적 멧세지를 담고 있는 이런 장이야말로『노자』라는 책의 고층대를 형성하는 것이 아닐까 하고 생각해보는 것이다. 재미있게도 이 장은 죽간 甲本의 다섯번째에 실려있다. 마지막의 "夫唯不盈, 故能蔽不新成"이란 구절만 없다. 그러나 이 마지막 구절도 죽간에는 없어도 백서에는 나타나고 있음으로 王弼의 첨가라고 볼 수는 없다.

1. 古之善爲士者, 微妙玄通, 深不可識 :

전통적으로 많은 학자들이 "爲士者"라는 표현이 어색하다 하여, 傅奕本이나 기타 많은 판본에 의거하여 "爲道者"로 바꾸어 해석하였다. 그리하면 善爲道者는 "도를 잘 실천하는 사람"의 뜻이 될 것이다. 그런데 과연 帛書本이 나오면서 이러한 판본의 문제가 입증되기에 이른 것이다. 백서본에는 "古之善爲道者"로 되어 있는 것이다. 그래서 왕필본의 "善爲士者"는 "善爲道者"로 바꾸어 해석되어야 한다는 설이 정설로 굳어지는 듯 했다. 그런데 일이 터진 것이다. 즉 죽간이 나온 것이다. 죽간에는 어떻게 되어 있는가? 죽간에는 또 다시 王本과 동일하게 "善爲士者"로 되어 있는 것이다.

王本	古之善爲士者,
帛本	古之善爲道者,
簡本	長古之善爲士者,

　여기서 우리는 또 다시 『노자』라는 텍스트의 전승문제에 관하여 확실한 새로운 근거를 발견하게 되는 것이다. 즉 마왕퇴 백서본의 발견으로 인하여 王本의 가치를 저하시킬 수 없다는 것이다. 백서본과 傅奕本(唐나라 때 성립한 것으로 『道藏』속에 보존됨)은 거의 동일한 전승으로 간주될 수 있지만, 王本은 또 다른 전승의 소산이며, 백서본에 근거하여 王本을 후대의 발전으로 간주할 수만은 없다는 것이다. 물론 여기 "善爲士者"에 관하여 王本과 簡本이 일치한다고 해서 王本이 簡本과 동일한 전승의 소산이라고 말할 수도 없다. 그러나 이 부분에 관하여서는 王本 텍스트가 帛書 텍스트보다 보다 古形을 보존하고 있다는 것이 입증되는 것이다.

"爲道者"는 "도를 구현하는 사람"이며, 그것은 매우 추상적인 후대적 개념이다. 여기『노자』의 고층대 텍스트에서는 분명히 보다 구체적인 상황을 지칭하고 있는 것이다. "士"는 字形으로 보면, 갑골문에서는 "남자의 성기"를 나타내는 모습으로 나타나고, 후대의 금문에서 "도끼"모양으로 나타나기도 한다. 士에 대한 해석의 역사는 다양하다 그것은 본시 평범한 "사내" (『시경』의 용법)를 의미하는 데서 출발하여, "전사"(戰士)의 개념으로 발전하였고, 또 士大夫와 같은 특정 계급으로 발전하였다가 또 우리말의 "선비"에 해당되는 지적인 리더그룹을 의미하는 말로 쓰여지기도 하였다.(선비士의 어원문제, 崔玲愛의 논문, "中國古代音韻學에서 본 韓國語語源問題,"『도올논문집』[통나무, 1991] 참고.)

"古之善爲士者"는 아주 직역하면 "예로부터 아주 싸움을 잘하는 사람"이라고 해석할 수도 있는 것이다. 戰國시대에 있어서 훌륭한 "전사"의 이미지는 이상적 인간(리더)의 이미지가 되기에 충분한 것이다. 그것은 마치 플라톤이 말하는 이상적 인간상 속에는 반드시 전사(Warrior)라는 개념이 들어있는 것과도 같다. 폴리스(도시국가)야말로 戰國(Warring State)이었던 것이다.

"微妙玄通"은 꼭『周易』의 "元亨利貞"처럼, 노자의 인간상의 대표적 특징을 묘사하는 네 개의 형용사적 개념일 수 있다. 微는 이미 14장에 나왔고, 妙와 玄은 제1장에서 선보인 것이다. 通은 帛本과 簡本이 모두 "達"로 쓰고 있다. 通과 達은 요즈음의 우리말에 "통달한다"는 말이 함의하는 바대로, 비슷한 두 개의 개념이다. 通하면 達하고, 達하면 通하는 것이다. 通은 『주역』「계사」의 표현을 빌리면 "感而遂通"의 通이다. 즉 感通(느끼어 통한다)의 뜻이다. 그것은 우주적 감통(Cosmic Prehension)의 뜻이다.

예로부터 정말 싸움을 잘 하는 사람들은, 즉 위대한 리더들은 아주 미세하고 오묘하고 그윽하고 통달한 인격의 소유자였다는 것이다. 이들은 인격의 깊이가 너무도 깊어(深, too deep to be apprehended) 도무지 파악할 길이 없다는 것이다. 이것은 매우 兵家的 표현일 수도 있다. 제갈공명의 작전적 깊이를 묘사하는 말일 수도 있다.

深不可識! 이 표현이 簡本과 帛本이 모두 深不可志로 되어 있다. 志와 識은 相通한다. 志도 의식의 지향성을 말하는 것이다. 不可志란 의식의 지향성 속에 포착이 되지 않는다는 의미일 것이다.

물이 깊어야 소리가 나지 않는다는 우리 속담이 있다. 반대로 물이 얕으면 소리가 시끄럽다. 노자는 얕은 물이 아니다. 깊고 깊어 헤아릴 수도 없는 깊은 물이다. 우리는 얕은 20세기를 살아왔다. 데카르트가 "clear and distinct"를 말한 것은 深不可識에 대하여 "명료하고 뚜렷한" 인식을 과학적 인식의 제1원리로 내걸은 것이다. 사실 20세기를 通하여 우리는 과학이라는 미명아래 어떻게 하면 얄팍해질 수 있는가를 고민하면서 살아왔다고 해도 과언이 아니다. 물이 너무 깊으면 잴 수가 없고, 또 계측할 수 없는 것은 과학의 대상이 되지를 않는다. 그래서 논리적으로나 인격적으로나 인식론적으로 모두 헤아릴 수 있도록 얕고, 얇고, 명료하고, 맑고, 뚜렷한 것만을 우리의 20세기는 지향해왔던 것이다. 그래서 인간들이 모두 얄팍해져 버렸다. 과학이라는 미명아래, 인간들이 모두 빤할 빤자의 인간들이 되어버린 것이다. 빤할 빤자의 인간들의 특징은 주변의 모든 사람들을 또다시 자기처럼 빤할 빤자의 인간들인 것처럼 파악한다는 것이다. 빤할 빤자의 척도로써 모든 것을 빤할 빤자로 만들어버리는 것이다. 그래서 빤할 빤자로 비판하고 판단을 내릴 뿐이다. 그래서 날이 갈수록 더욱 더 빤할 빤자의 인간이 되어갈 뿐이다.

그들은 "深不可識"의 세계를 상상할 수 조차 없다. 여기를 찌르고 들어가면 저켠에 우뚝 서있고 저기를 쑤시고 들어가면 이켠에 우뚝 서있는, 신출귀몰하는 不可識의 인격을 생각할 수가 없다. 인간의 헤아림으로 다 헤아릴 수 있고, 그 무엇이 남지 않는 인간을 우리는 체도자(도를 체득한 사람)라 할 수 없다. 우리는 모든 반면을 동시에 포용하는 다면적 인격을 너무도 상실하여만

온 것이다. 이제 21세기에는 좀 "深不可識"한 인간들을 우리역사도 배출시켜야 하지 않을까?

"强爲之容"이란, 불가사의(不可思議), 심불가식(深不可識)한 세계를 언어적으로 개념적으로 형용한다는 것이 불가능하기 때문에 억지로 형용한다는 뜻이다. 여기서 "强"은 "억지로"의 뜻이다. 억지로 형용할 때에 쓸 수 있는 방법은 논리적 분석이나 어떤 실체적 대응이 아니다. 결국 알레고리적인 사태를 나열하는 것이다. 이 장은 그러한 알레고리적 사태를 豫焉, 猶兮, 儼兮, 渙兮, 敦兮, 曠兮, 混兮라는 일곱 개의 감탄사로 해서 나열하고 있다. 하나의 아름다운 시라 해야 할 것이다.

"豫焉"의 豫는 문자그대로는 "거대한 코끼리"의 뜻이다. 거대한 코끼리가 살얼음 덮인 냇갈 앞에서 주저주저하고 있는 모습을 연상하면 좀 노자적 인격의 느낌이 다가올 것이다. 노자적 인간은 똘똘하고 명석하고 판단력이 빠른 인간이 아니다. 아둔한 듯이 보이고 우물쭈물하는 듯이 보이고 흐리멍텅한 듯이 보인다. 그러나 노자의 흐리멍텅함은 데카르트가 말하는 모든 명석·판명성을 포용하는 사태임을 망각해서는 아니될 것이다.

"猶兮"의 猶 역시 일종의 "원숭이"를 뜻하는 글자다. 원숭이는 겁이 많다. 주변을 살피기를 잘하고 두려워하기를 잘 한다.

猶의 이미지는 여기서 "畏四隣"(사방의 이웃을 두려워한다)과 관련되어 있다. 인생을 살아가는 지혜의 한 표현은 역시 "두려움"이다. 두려움이란 위기적 상황에 대한 공포를 말하는 것이 아니다. 노자가 말하는 두려움이란 양면성을 포용하지 못하는 것에 대한 심려를 뜻한다. 두려움은 존재의 여백이요, 포용의 여지다. 두려움은 남김이다.

"儼兮"는 역시 근엄한 모습이다. 이 근엄성은 여기 "손님"(客)이란 이미지와 결부되어 있다. 왕본의 容은 客의 誤寫로 간주된다. 손님은 항상 주인(主)과 상대적으로 대비되는 개념이다. 노자적 인간은 주인이 아니요, 손님이다. 손님은 조심스럽다. 자기가 주관해서 일을 도모하지 않기에 에러의 가능성이 적다. 그리고 손님은 스스로 그러한 사태의 추이에 자신을 맡긴다. 그것을 자기의 주관에 따라 조작하려하지 않는다. 손님의 궁극적 의미는 이것이다. 우리 인생은 천지자연에 대한 하나의 손님인 것이다. 건곤의 무대에 던져진 하나의 손님인 것이다. 손님은 손님다움게 왔다 가야하는 것이다. 손님이 주인인척 모든 것을 주관하면 엉망이 되어버리는 것이다. 인생은 나그네길 !

"渙兮"의 渙(녹아 흐트러질 환)은 끓는 물에 던져진 얼음덩어리의 모습을 연상하면 쉽게 이해가 갈 것이다. 그 얼음이 흐트러지는 모습이 바로 "釋"(풀린다)이다. 우리가 보통 "해석한다"는 것도 엉켰던 것이 풀린다고 하는 뜻을 내포하는 것이다. 이 渙의 이미지에서 우리는 노자철학의 근원적인 "디컨스트럭션"적 성격을 엿볼 수 있다. 노자철학 그 자체가 하나의 해체요, 노자가 말하는 인격 그 자체가 하나의 해체인 것이다. 그러나 노자의 디컨스트럭션은 컨스트럭션에 대립되는 개념이 아니다. 노자에게 있어서는 디컨스트럭션 그 자체가 하나의 컨스트럭션이다. 해체가 하나의 虛로서 전체의 컨스트럭션(구성)에 끊임없이 참여하고 있는 것이다.

"敦兮"의 敦(돈독하다)은 "樸"(통나무)의 이미지와 연결되어 있다. "통나무"는 器로서 분화되기 이전의 상태를 말한다. 통나무란 存在의 가능태이다. 통나무가 조각되어 온갖 그릇이 탄생되는 것이다. 그러한 모든 가능성을 함장하는 상태가 곧 "통나무"이다. 통나무는 돈독하다. 통나무는 도타웁다. 통나무는 질박하다. 여기서 도타웁다(敦兮)는 뜻은 결국 모든 가능성이 함장되어 있다는 뜻이다. 인격의 위대성도 어떠한 그릇으로 규정될 수 없는, 그릇 이전의 통나무 상태에 있는 것이다. 한 인간이 한 그릇으로 판명이 되고 나면 그 인간은 매력이 사라지고 만다. 빤할 빤자가 되어버리기 때문이다. 한 그릇의 用(쓰임)을 뛰어 넘는 원초적 가능성의 다면성을 우리 인격은 계속 보지해야 하는 것이다.

"曠兮"는 넓고 또 텅 빈 모습이다. 이 曠이 谷(계곡)과 연결되어 있는 것은 이제 谷神不死장(6장)을 이해한 사람이라면 쉽게 그 뜻을 알 수 있을 것이다. 여기 잠깐 谷神不死를 해석하고 있는 왕필주를 잠깐 한번 들여다 보자!

谷神, 谷中央, 無谷也。無形無影, 無逆無違, 處卑不動, 守靜不衰, 谷以之成, 而不見其形, 此至物也。

계곡의 하느님이란 계곡의 텅 빈 중앙을 말하는 것이다. 그곳에는 계곡이 없다. 형체도 없고, 그림자도 없다. 거꾸로 올라감도 없고 거스림도 없다. 자신을 낮추면서 움직이지 않는다. 고요함을 유지하면서도 시들지 않는다. 계곡이 바로 이 때문에 이루어지고 있으나 그 형체는 보이지 않는다. 아~ 그 얼마나 지극한 물체인가!

"混兮"와 濁(흐린 물)의 이미지는 이미 혼돈神의 고사에서(제14장) 충분히 해설하였음으로 쉽게 그 풍부한 그림들을 머리에 그려볼 수 있을 것이다. 그런데 재미있는 것은, 그리고 노자적 인생관을 얘기할 때 많이 인용되는 한 구절은, 다음에 이어지고 있는 흐린 물의 비유다.

2. 孰能濁以靜之徐淸? :

나는 이 말을 생각할 때, 요즈음은 백담사에 기거하고 계신 重光스님을 머리에 떠올린다. 나는 개인적으로 중광스님과 오랜 교분을 맺어왔다. 얼마전에도 백담사에 가서 밤을 지새우며 서로 먹물장난하고 서로 시쓰고 유쾌하게 깔깔대고 웃어 제키고 돌아왔다.

왜 중광스님은 "걸레스님"인가? 그는 인생의 어떤 계기에 "걸레"의 의미를 깨달았을 것이다. 그 걸레의 의미는 바로 이 老子의 15장 이 구절에서 출발하는 것이다.

우리가 사는 세상은 예로부터 지금까지 항상 혼탁한 모습을 지녀왔다. 옛 성인들의 말씀을 들어보아도 옛날에는 이러이러했는데 지금은 이러이러하다고 말할 때, "지금"과 관련된 모든 언급이 예외없이 부정적이다. 이 말은 곧 예나 지금이나 항상 우리가 살고 있는 세상은 혼탁했고 개탄의 대상이었다는 것이다. 한마디로 유토피아는 역사에, 인간세에, 단 한순간도 존재해본 적이 없는 것이다. 단지 유토피아에 대한 끊임없는 인간의 갈망만이 있었을 뿐이다.

그런데 혼탁한 세상은 어떻게 맑게 하는가? 혼탁한 세상을 맑게 한다고 할 때, 우리는 흔히 한 줄기의 맑은 샘물을 생각한다.

한 줄기의 맑은 샘물이 솟아나오면 그 샘물로서 점차 흐린 물이 맑아지리라는 것이다. 이것은 우리가 흔히 물리적 사태로서 두 눈으로 경험할 수 있는 사실이다. 그러나 이러한 사실이 그대로 우리가 살고 있는 인간세에 적용될 수 있다는 생각은 망상이다. 내가 살고 있는 사회는 흐린 물(濁), 그리고 그 속의 나는 맑은 샘물(淸), 우선 이 따위 2분법이 인간세상 이치에는 적용될 수가 없다. 흐린 물과 맑은 물의 2원적 경계가 과연 어디에 있단 말인가? 과연 사회적 탁류속에 있는 내가, 나 홀로 고립적으로 청류일 수 있는 가능성이 있는가?

걸레는 걸레이다. 걸레는 더러운 것이다. 그러나 걸레는 자신을 더럽히면서 주변을 깨끗하게 만든다. 나의 깨끗함과 고고함이 이 사회를 깨끗하고 고고하게 만드는 유례는 없다. 나의 깨끗함과 고고함 자체가 이 사회의 더러움을 포용할 수 있어야 하는 것이다. 노자는 말한다!

너 자신을 먼저 흐리게 만들라!
그리고 자신의 흐림으로 탁류에 휩쓸리는 것이 아니라
탁류 그 자체를 가라 앉혀라!
그리하면 너와 네 주변이 같이 깨끗함을 얻으리라!

바로 예수의 생애도 십자가를 걺어졌다는 것은 곧 자신을 탁류로 만든 것이다. 예수가 자기만을 세상의 탁류에 대한 청류로 규정했다면 오늘의 예수는 될 수 없었을 것이다. 예수는 더불어 술마시고 더불어 발을 씻고, 더불어 화내고 더불어 싸웠다. 그리고 강도들과 더불어 십자가에 못박히셨다.

오늘 우리 20세기를 회고해볼 때, 우리 20세기의 최대의 죄악은 바로 악마와 천사라고 하는 얄팍한 기독교적 사유속에서 세상을 바라보았던 윤리적 2원성이다. 나는 깨끗하고 너는 더럽다. 그래서 죄는 너의 것이다. 이 사회의 죄악은 모두 너로 인하여 생긴 것이다. 나는 그 죄악의 피해자일 뿐이다! 그래서 나는 너를 저주하노라! 그 저주를 받지 않으려면 주 예수 그리스도를 믿으라! 과연 우리 민족은 구원을 얻었는가? 20세기 기독교선교사의 결론이 무엇인가? 거대한 교회건물, 기도원에까지 수천만원짜리 코트를 입고 가서 하나님의 영광을 찬송하는 어리석은 여인들! 그것이 우리 20세기 기독교선교사, 순교사의 총결이었던가?

3. 夫唯不盈, 故能蔽不新成 :
이 대목은 전통적으로 고증학적 논란이 많았던 대목인데, 이 부분이 착간이라고 주장하는 사람도 많았다. 그런데 이 대목이 죽간에는 빠져있다. 그렇다면 착간이라는 說이 정당한가? 그렇지는 않다. 帛書本에는 이 부분이 고스란히 보존되어 있기 때문이다. 즉 王本의 현체제가 그렇게 함부로 구성이 된 것이 아니라는 것이 帛書는 여실하게 보여준 것이다. 우선 죽간에 이 구절이 빠져있어도, 그 앞에 "保此道者, 不欲盈。"에 해당되는 부분이 있음으로 결코 이 내용을 의미적으로 결하고 있는 것은 아니다. 그런데 요번 죽간에서 새롭게 읽어지는 사실은 "盈"자에 대한 새로운 해석의 가능성이다. 죽간에는 盈자가 呈자로 되어 있는 것이다.

王本	保此道者, 不欲盈。
簡本	保此道者, 不欲尙呈。

죽간본에 의하면 이 구절의 뜻이 이와 같다: "이 도를 잘 보존하는 사람은 드러나기를 숭상하지 않는다." 여기 "이 도를 보존하는 사람"이라는 것은 도를 자각하여 실천하는 사람이다. 불교에도 돈오돈수(頓悟頓修)니 돈오점수(頓悟漸修)니 하여 사소한 논쟁들이 끊이지 않지만, 노자철학(중국 토착적 관점)에서 보면, 인간의 깨달음의 시점과 무관하게 인간의 수행이란 항상 지속되는 것이다. 따라서 "保此道者"라고 하는 것은 그렇게 道를 지

속적으로 실천하는 사람을 뜻하는 것이다. 이러한 실천자는 "不欲盈"하게 되면, 자신의 虛를 채우려하지 않는다 라는 의미가 되고, "不欲尙呈"하게 되면, 자신을 밖으로 드러내기를 좋아하지 않는다는 의미가 되는 것이다. 그러나 죽간의 발견으로 후자의 의미가 노자의 오리지날한 맥락이라는 것이 밝혀진 것이다. 그런데 노자 전문가들에게 가장 문제가 되었던 구절은 최후의 "能蔽不新成"이라는 구절이었다. "능히 낡아빠질 수 있고 새로 이루지는 않는다"라는 의미가 왠지 부정적이고 나른하고 그 말끔한 맥락이 닿지 않는 듯한 느낌을 주는 것이다. 그래서 주석가들은 여기 저기 출전을 대어 이것은 "能蔽而新成"의 誤寫라고 주장해왔다. 즉 "不"자는 "而"자를 자형이 비슷해서 잘못 전사한 결과라는 것이다. 그렇게 되면 뜻은 보다 근사하게 된다: "항상 자신을 낡게 할 수 있음으로 새롭게 생성한다." 그런데 과연 이런 고증가들의 고증이 맞았는가? 백서의 출현은 이렇게 쓸데없이 자기의 좁은 소견에 따라 원문을 개작하는 고증가들의 장난이 얼마나 허망한 짓이었나를 여실하게 보여준 것이다.

| 王本 | 故能蔽不新成。 |
| 帛乙本 | 是以能獘而不成。 |

자구의 약간의 변화는 있으나 의미의 변화는 전혀 없다. 즉 아니 不자가 없어지지 않고 그대로 있는 것이다. 이로써 王本의 판본이 얼마나 정확한 진실을 보존하고 있는가 하는 사실이 입증된 것이다.

"자신을 낡게 할 수 있고 새롭게 이루지 아니한다"는 "弱其志, 强其骨"(3장)만 한번 연상해도 쉽게 해석이 될 수 있는 것이다. 자신을 우주의 客의 모습으로 사는 사람은 정당하게 낡아가는 자신의 모습을 한탄하지 아니한다. 어차피 우주의 엔트로피는 시간의 추이에 따라 증가하게 되어 있는 것이다. 나의 생명은 낡아버리는 것이다. 그 낡음에 대하여 무리하게 뜻을 세워 유위적 행동을 하지 않는다는 뜻이다. 얼굴이 늙는다고 성형수술을 하는 어리석은 여자들, 그러다가 몇 년 후에 얼굴이 더 폭삭 삭아버리는 그런 바보같은 짓을 하지 않는 것을 여기서 "不新成"이라 표현한 것이다. 여인의 젖가슴이 납작하다고 수술해서 그 속에 프라스틱 젤라틴을 쑤셔넣고 산다니! 참 이런 흉칙한 의술을 과연 과학의 진보라 말할 수 있겠는가? 그것이 우리의 "新生"인가? 이제 우리는 새롭게 태어날 생각말자! 21세기는 낡게 태어날 생각도 할 줄 알아야 하지 않을까?

十六章

致虛極, 守靜篤。
치허극, 수정독。

萬物竝作, 吾以觀復。
만물병작, 오이관복。

夫物芸芸, 各復歸其根。
부물운운, 각복귀기근。

歸根曰靜, 是謂復命。
귀근왈정, 시위복명。

復命曰常, 知常曰明。
복명왈상, 지상왈명。

不知常, 妄作凶。
부지상, 망작흉。

知常容,
지상용,

容乃公,
용내공,

公乃王,
공내왕,

王乃天,
왕내천,

天乃道。
천내도。

道乃久。
도내구。

沒身不殆。
몰신불태。

열여섯째 가름

빔에 이르기를 지극하게 하고,

고요함을 지키기를 돈독하게 하라 !

만물이 더불어 자라나는데,

나는 돌아감을 볼 뿐이다.

대저 만물은 무성하게 자라 엉키지만,

제각기 또 다시 그 뿌리로 돌아갈 뿐이로다.

그 뿌리로 돌아가는 것을 일컬어

고요함이라 하고,

또 이를 일러 제명으로 돌아간다 한다.

제명으로 돌아감을 늘 그러함이라 하고,

늘 그러함을 아는 것을 밝음이라 한다.

늘 그러함을 알지 못하면

망령되이 흉을 짓는다.

늘 그러함을 알면 모든 것을 포용하게 되고,

포용하면 공평하게 되고,

공평하면 천하가 귀순한다.

천하가 귀순하면 하늘에 들어맞고,

하늘에 들어맞으면 도에 들어맞는다.

도에 들어맞으면 영원할 수 있다.

내 몸이 다하도록 위태롭지 아니하다 !

說老 이 장 역시 후반부에 개념적인 단어들이 카드께임처럼 연결되는 문장은, 쉽게 생각하여 『노자』의 고충대가 아님을 알아차릴 수 있다. 과연! 이 장이 죽간에 나타나고 있지만, 죽간에 나타난 이 장의 모습은 서두부분, "夫物芸芸, 各復歸其根。"이라 한 부분까지에서 끝나고 있다. 그리고 그 문자도, 王本과 帛書가 어느 정도 일치하는 것에 비해 매우 다르다! 죽간본 텍스트에서 王本까지의 사상적 변화를 읽을 수 있는 소중한 정보가 많이 담겨 있다. 조목조목 해설하겠다.

1. 致虛極, 守靜篤 :

"致虛"란 "빔에 이르다"는 뜻이다. 그것은 無爲의 방향이다. 이제 이런 말은 쉽게 이해가 갈 것이다. 그런데 왜 또 "極"인가? 極은 최상급(superlative)이다. 노자는 "르까프"를 싫어한다. 그런데 왜 최상급을 썼는가? 너무 비노자적이지 않은가? 그러나 노자의 언어를 디펜드하는 입장에서 말한다면 허를 보지하는 행동은 극대화(to maximize)시킬수록 좋다는 것이다.

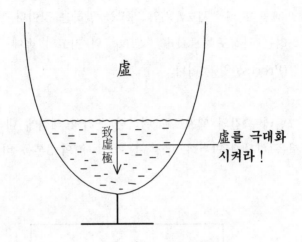

그리고 여기서의 "極"의 의미에는 우주론적 의미가 담겨져 있다. 極은 단순한 직선적 시간관 속에서의 "극단"(extremity)이 아니다. 그것은 太極的 전체대용(全體大用, the Cosmic Whole)을 의미하는 것이다. 『대학』傳3장에는 다음과 같은 말이 있다:

是故君子無所不用其極。

그러므로, 군자는 그 극을 쓰지 아니함이 없다.

여기서 말하는 極이란 至善에 도달하려는 "日日新, 又日新"(매일 매일 또 매일 새로워짐)의 과정을 말하는 것이다. 즉 빔에 도달하려는 과정도 "日日虛, 又日虛"의 지고의 虛에 도달하려는 과정(Process)인 것이다.

그런데 죽간의 텍스트는 이러한 우리의 해석에 대하여 그 정당성을 반문케 만든다. 우선 王·帛·簡의 3본을 비교해보자.

王本	致虛極。
帛本	至虛, 極也。
簡本	至虛, 恆也。

형식적으로 帛本은 簡本과 유사하지만, 내용적으로는 王本과 더 상통하고 있다. 그런데 중요한 사실은 簡本의 極의 개념을 취하지 않고 있다는 사실이다. 내가 생각컨대, 노자의 원의는 분명 간본에 가까울 것이다. 極은 후대에 보다 노자사상이 추상화되면서 삽입되었을 것이다. 간본의 뜻은 이러하다.

至虛, 恆也。

빔에 이르는 것은 천지의 항상 그러한 모습이다.

그런데 더 재미있는 것은 그 다음의 구절이다. "守靜篤"은 虛에 상응되는 부분이 靜으로 되어있다. "고요함을 지키기를 돈독하게 하라!" 여기 "篤"도 어떤 의미에서는 "極"과 같은 최상급(superlative)을 나타내는 말이다. 그러나 "고요함을 지킨다"라는 말의 함의에는 노자사상을 곡해하게 만들 수 있는 위험한 요소가 내포될 수 있다. 靜에 대한 主靜主義(quietism)적 이해방식이 그것이다. 우리가 살고 있는 끊임없이 변화하는 常의 세계를 "動"이라 한다면, 그 動의 배면에 어떤 본질적인 靜의 세계가 있다고 생각하기 쉽다. 사실 불교의 三法印 중의 하나인 "涅槃寂靜"과 같은 法印의 의미는 그러한 맥락에서 해석되는 것이 원래 인도 아리안족의 사유구조였다.

현상	본체
動	靜
사바 (娑婆)	열반 (涅槃)

그러나 이러한 이해는 노자철학에서는 매우 위험한 것이다. 다시 말해서 虛를 본체론적 靜(noumenal quietude)으로 이해하면 노자사상은 곧바로 희랍—아리안—인도를 잇는 2원론적 사유의 아류로 전락해버리는 것이다. 노자가 말하는 靜은 어떠한 경우에는 본체론적 靜이 아니다. 그것은 動之靜이요, 모든 動의 상태를 포용한 靜일 뿐이다. 靜은 動과 대립되는, 動과 2원적으로 유리되는 靜이 아니라 단지 動의 息한 상태를 말한 것이다. 動의 부재가 아니라 動의 가능태로서의 고요함일 뿐이다. 노자의 靜은 곧 動이다. 靜을 動과 분리하여 2원적으로 이해하는 모든 主靜主義철학에서 초월주의가 태어난 것이다. 기독교에서 말하는 "天國"의 이미지도 현상적 動의 이미지가 아닌, 초월적 靜의 이미지인 것이다. 고요함을 지킨다고 하는 것이 곧 動을 이탈한 靜을 지키는 것은 아니다. 虛는 靜이며 또 동시에 靜이 아니다.

$$虛 \neq 靜$$
$$?$$

그런데 이러한 문제에 결정적 단서를 주는 사건이 생겼다. 우선

王 · 帛 · 簡 3본을 비교해보자 !

王本	守 靜 篤。
帛乙	守靜, 督也。
簡本	守中, 篤也。

帛本에는 분명히 王本과 동일하게 문제가 되고 있는 "靜"이라
는 글자가 나타난다. 그러나 죽간에 오면 "靜"이라는 글자는 사
라지고 없다. 여기 분명, 죽간노자의 사상적 오리지날리티를 읽
을 수 있다. 靜이라는 주정주의적 이미지는 온데간데 없고, 虛를
형용했던 "中央"의 이미지, 谷神의 中央의 이미지만 있는 것이
다. 간본은 노자사상의 오리지날한 고층대를 형성하는 것이 분
명한 것이다. 그 뜻은:

　守中, 篤也。

　그 가운데를 지키는 것이 곧 돈독함이다.

여기서 재미있는 사실은 이러한 守中이 守靜으로 변해간 과정이 왕필의 조작이 아니라, 이미 戰國時代에 일어난 사건이라는 사실이다. 戰國末期에 이미 動·靜의 철학적 개념이 생겨났고, 그에 의하여 노자를 재해석하는 틀이 생겨났다는 것을 의미한다. 그러나 그렇다 치더라도, 노자의 守靜은 주정주의적으로 해석될 수는 없는 것이다.

2. 萬物竝作, 吾以觀復。夫物芸芸, 各復歸其根 :

『주역』에는 소식괘(消息卦)라는 것이 있다. 이것은 음효와 양효가 중간에 섞이질 않고, 차례대로 음효나 양효의 수가 가지런히 늘어나거나 줄어드는 12개의 괘상을 일컫는 것이다. 양효가 최대로 늘어나게 되면 건괘(☰)가 될 것이고, 음효가 최대로 늘어나게 되면 곤괘(☷)가 될 것이다. 그런데 음효가 가득차게 되면 밑에서부터 양효가 자라나기(息: 자랄 식) 시작하는데 그 첫 양효가 자라난 괘를 바로 復(☷)괘라 하는 것이다. 이 복은 12 소식괘를 일년의 소장에 비유하여 말한다면 음력 十一月 冬至에 해당된다. 아직 봄의 기운이 싹트지는 않았지만, 봄의 모든 생명력을 함장한 새로운 생명의 가능태, 음의 어둠이 지나가고 양의 햇살이 밝아오기 시작하는 바로 그 때를 옛사람들은 복(復)이라 불렀던 것이다. 그 복괘를 종합해설한 象傳은 다음과 같은 만고의 유명한 성귀를 남겨놓고 있다.

復其見天地之心乎！

복에서 우리는 그 천지의 마음을 볼 것인가！

이에 대해 왕필(『노자』뿐 아니라, 『주역』도 주석을 했다는 사실을
기억하자！)은 또 놓칠세라, 천하 고금의 제일가는 주석을 달아
놓았다.

復者, 反本之謂也。 天地以本爲心者也。 凡動息則靜, 靜非
對動者也。 語息則默, 默非對語者也。 然則天地雖大, 富有
萬物, 雷動風行, 運化萬變, 寂然至无, 是其本矣。 故動息地
中, 乃天地之心見也。 若其以有爲心, 異類未獲具存矣。

復(복)이라 하는 것은 그 근본(本)으로 돌아간다 하는 것을
일컫는 것이다. 천지는 그 근본뿌리를 가지고써 마음을 삼는
것이다. 피상적 현상의 모습이 천지의 마음이 아니다. 그래서
대저 움직임이 그치면 고요하지만, 고요함이 곧 움직임과 대
립되는 것은 아니다. 말이 그치면 침묵이 되지만, 침묵이 곧
말과 대립되는 것은 아니다. 고요함은 움직임을 머금은 것이
요, 침묵은 말을 머금은 것이다. 그렇다면 천지가 비록 거대
하여 만물을 풍부하게 생성시키고, 우뢰가 치며 바람이 불고,
삼라만상의 변화가 그칠 날이 없지만, 적막하고 고요하여 지
극한 빔의 상태야말로 그 근본이라 할 것이다. 그러므로 움직

임(양효)이 저 땅속(땅효의 자리, 初九)에서 쉬고 있는 복괘
에서야말로 천지의 마음이 엿보이게 되는 것이다. 만약 천지
가 무가 아닌 유로써 그 마음을 삼는다면 온갖 다양한 만물
이 서로 충돌할 뿐이고 공존할 수 있는 방법이 없을 것이다.

그 얼마나 위대한 주석인가! 여기서 우리는 왕필의 尙無主
義적 경향과, 그의 主靜主義적 입장의 미묘한 함의를 읽어낼 수
가 있다.

바로 이『주역』의 복(復)의 의미가 노자가 말하는 "만물이 竝
作하는데 나는 그로써 復을 觀한다"하는 구절의 復의 의미를
상기시키는 것이다. 여기서의 "觀"은 나중에는 天台宗의 "一心
三觀"의 觀의 의미로 발전한 것이다. 그것은 이미 1장에서 말
한, "觀其妙"의 관이요, "觀其徼"의 관이다. 그것은 天地造化
의 妙用을 관조하는 것이다. 從假入空, 從空入假, 從空假入中
道의 次第三觀의 원형이 이미『노자』에 배태되어 있는 것이다.

復은 天地의 마음이요, 天地의 뿌리다!

$$復 = 根 = 天地之心$$

그러나 이것을 또 다시 우리는『太一生水』의 입장에서 해석해야 할 필요를 느낀다. 다시 말해서 우리는 復을 일방적인 "뿌리로의 회귀"라는 개념으로 이해해서는 아니된다는 것이다. 다시 말해서 太一과 水의 관계는 일방적 관계가 아니라는 것이다.

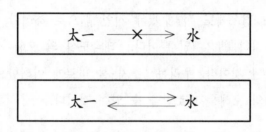

그것은 쌍방적 관계인 것이다. 太一이 水를 生하였지만, 水가 오히려 太一을 反輔(거꾸로 상보)할 때만이 太一은 太一이 될 수 있고, 水는 水가 될 수 있으며, 太一은 또 다시 天을 생성할 수 있는 힘을 얻는다는 것이다. 이러한 "反輔" 혹은 "復相輔"라고 부르는 이 妙用이야말로 지금 노자가 말하는 "觀其復"의 復이다. 이것은 결코 主靜主義的 회귀가 아닌 것이다. 이러한 王弼의 主靜主義의 세뇌를 받아 宋明유학의 바이블이 된『태극도설』(太極圖說)은 다음과 같은 오해의 소지를 불러일으키는 불행한 구절을 남겨놓고 있는 것이다.

聖人定之以中正仁義而**主靜**, 立人極焉。

성인은 중정인의로써 만사를 정하고 정(고요함)으로써 그 주
됨을 삼아 인극을 세웠다.

그러나 여기서의 "主靜"의 靜은 중국의 토착적 발상에 있어
서는 어느 경우에도 "涅槃寂靜"적인 靜으로 해석할 수 없다.
그것은 철저히 動之靜일 뿐이다. 『태극도설』의 오해가 모두 여
기서 비롯된 것이다. 우리는 『노자』를 바르게 이해함으로써 이
러한 후대의 오해를 바로잡을 수 있는 것이다.

3. 歸根曰靜, 是謂復命。復命曰常, 知常曰明。不知常, 妄
作凶:
다시 말해서 우리는 "歸根曰靜"이라 한 구절의 靜의 의미를
새롭게 규정할 수 있지만, 동시에 이러한 主靜主義的 언급이 竹
簡에 빠질 수밖에 없는 이유, 즉 이 장의 죽간 부분이 "夫物芸
芸, 各復歸其根。"에서 끝나고 있다는 사실의 어떤 필연성을 상
기의 논의에서 발견할 수 있는 것이다. "歸根曰靜" 이후의 문장
은 『노자』의 고층대가 아닌 후대의 발전이 분명한 것이다.

여기 "돌아간다"(歸)라는 표현은 동양인의 사유구조에 가장
근원적인 것이다. 우리는 사람이 "죽는다"는 표현을 직선적 시

간 위에서의 종료로 파악하여 "삶이 끝난다"는 식의 표현을 쓰지 않는다. "아버지께서 돌아가셨다"라는 표현은 생명의 시간을 직선으로 파악하지 않음을 나타낸 것이다. 즉 죽음이란 그 뿌리로의 돌아감이다. "歸根曰靜," 그 뿌리로 돌아감을 고요함이라 한다. 고요함은 죽음이다. 그러나 노자의 죽음은 삶의 한 형태이다. 죽음은 삶 속에 내재하는 것이다. 그러기 때문에 우리는 살아있는 동안에도 끊임없이 돌아가고 있는 것이다. 크게 돌아가는 사건이 세속적 죽음으로 현현할 뿐이다. "돌아감"이 나의 命이다. 돌아감은 곧 나의 뿌리다. 천지생명의 본래적 자리가 곧 命이다. 그 命으로 돌아가는 것은 일시적인 것이 아니요, 항상 그러한 끊임없는 과정(常)이다. 돌아감은 과정이다. 그것은 日新又日新하는 과정이다. 돌아감이 없는 직선적 발전은 파괴일 뿐이요, 절망일 뿐이요, 단절일 뿐이요, 종료일 뿐이다. 그것이 헤겔의 오류요, 맑스의 오류요, 기독교 묵시론의 오류요, 사막문명권 사람들의 절망감의 오류인 것이다. "돌아감"은 반복이 아니다. 순환은 반복이 아니다. 순환은 끊임없는 새로움의 창조다. 돌아감이야말로 창조의 원천이다. 이 돌아감의 창조를 헤겔사관에 빠진 자들은 정체(Stagnation)와 미개의 암흑으로 오인한 것이다. 발전을 외치는 자들이야말로 미개한 자들이요, 암흑구덩이를 헤매는 자들이요, 유토피아의 신기루에 떠도는 가련한 유령들이다. 그 돌아감의 항상됨을 알아야 우리는 비로소 개명(明)하다, 밝다(明) 말 할 수 있는 것이다(知常曰明). 그 돌아감의 항상됨을 모

르는 자들이(不知常) 역사와 자연과 인간에 대하여 흉칙한 짓을
망령되이 일삼는 것이다(妄作凶). 노자의 한마디 한마디가 그 얼
마나 절실하게 우리의 20세기의 죄악상을 폭로하고 있는가 !

4. 知常容, 容乃公, 公乃王, 王乃天, 天乃道。道乃久。沒身
不殆 :

그 돌아감의 항상됨을 알아야 비로소 우리는 포용할 줄 아는
인간이 되는 것이다. 여기 容자는 내 이름의 한 글자이다. 그런
데 보통 이것을 얼굴 容이라 훈하지만, 더 중요한 容의 의미는
"담는다" "포용한다"는 의미며, 그것은 "빔"과 의미론적으로
관련된 글자인 것이다.

나 혼자 잘났다고 생각하고, 나 혼자 발전한다 생각하고, 나
혼자 구원받는다 생각하고, 나 혼자 최후의 심판의 날에 휴거된
다고 생각하는 자들은 포용할 수가 없다. 그들은 남을 배타하고
他를 배제함으로써만 자기의 발전과 구원이 가능하다고 믿는 자
들이다. 그들은 결코 포용할 수가 없다. 게르만세계(the
Germanic World)의 역사만이 자유의 관념의 실현의 세계사적
선두에 서있다고 포효하는 스투트가르트 태생의 사나이, 말 탄
정복의 화신 나폴레옹을, 말 탄 세계사적 정신(the World
Spirit)이라고 숭고하게 쳐다보고 있는 헤겔은 제국주의의 화신
일 지언정, 인류를 포용할 수 있는 진정한 화해의 정신을 결여하

고 있는 것이다. 세계첨단을 달리고 있다고 믿고 있는 미국인들, 오만과 편견과 자만에 빠져 자기외의 세계를 이해하고 있는 그들에게는 容이 없는 것이다! 그 미제국주의의 선교에 의하여 그릇된 전도의 전통을 살려간 우리나라의 보수적 기독교인들에게는 바로 그 容이 결여되어 있는 것이다! 인도의 극빈한 환경 속에서 종교적 신념과 인종의 차이를 불문하고 나병환자, 배고프고 병든 사람들 모두에게 따스한 사랑의 손길을 나누어주고 있는 테레사 수녀의 모습과는 너무도 이질적인 예수장삿꾼들의 모습인 것이다.

우리는 포용할 수 있을 때만이 비로소 사특하지 아니하고 사사롭지 아니하고 公平無私할 수 있는 것이다(容乃公). 私人이 되지 않고 公人이 된다는 것, 私的 가치에 얽매이지 않고 진정하게 公的 가치를 발휘한다는 것의 전제는 바로 포용성(容)이다. 포용할 줄 모르면 公할 수 없다. 포용할 줄 모르는 신앙인은 보편적 사랑을 실천할 수 없다. 만인의 복음을 전파할 길이 없다. 그들의 전도는 전도가 아니라 세력의 확장이다. 그들의 구원은 구원이 아니라 함정의 구속이다.

公乃王! 공평할 수 있어야 비로소 王이 될 수 있는 것이다. 이 "王"이라는 글자를 놓고 사계의 고증가들은 논란이 많았다. 王은 全이라는 글자의 誤寫라고 한결같이 주장해왔다. 무엇인가

추상적 개념이 나열되고 있는 판에 "王"이라는 사회위계질서적
인 포스트 개념이 영 해석하기에 불편하다고 생각했던 것이다.

그런데 帛書의 발견은 이러한 고증가들의 노력을 대부분
"똥"으로 만들었다. 왕필 텍스트의 정확성을 대부분 입증했던
것이다. 있는 텍스트를, 있는 그대로 해석할 능력이 없는 자들이
"고증"이라는 허울아래 자기 좁은 소견으로 텍스트를 조작해왔
던 많은 교정작업이 대부분 허위였다는 사실이 입증된 것이다.
王은 王일 뿐, 全이 아니다! 왕필은 "公乃王"이라는 본문에
대해 다음과 같은 주석을 달고 있다.

   蕩然公平, 則乃至於無所不周普也。

   거침없이 공평하면 곧 두루두루 미치지 않음이 없는데 이르
   게 되는 것이다.

   여기 王弼의 주석은 公을 "蕩然公平"으로, 王을 "無所不周
普"로 대응시킨 것이다. 王을 세속적인 임금으로 본 것이 아니
라, 王의 덕성의 보편성을 말한 것으로 본 것이다. 王이 진정으
로 王이 되기 위해서는 만인에게 골고루 그 공덕이 미쳐야 하는
것이다. "周普"란 바로 그 공덕이 미치는 것의 보편성

(Universality), 무소부재성(Ubiquitousness)을 말하는 것이다.

66장에 다음과 같은 말이 있다.

江海所以能爲百谷王者, 以其善下之。

강과 바다가 온갖 시내의 왕이 될 수 있는 것은, 자기를 잘
낮추기 때문이다.

여기서도 王이라는 표현은 요즈음 "동물의 왕 사자"(라이온 킹)
와 같은 표현처럼 그 구체적인 포스트를 가리킨다기 보다는, 그
것의 상징적 의미(symbolic meaning)를 취하고 있다. 특히
"百谷王"이라는 표현의 구체적 함의는 그것의 왕됨이, 곧 자기
를 낮춤으로써 모든 것을 포용한다고 하는 덕성을 가리키고 있
는 것이다.

王이라는 보편적 덕성은 곧 하늘이다. 하늘은 땅의 구체성과
지역성과는 달리 추상적이고 더 보편적이다(王乃天). 왕필은 말
한다.

無所不周普, 則乃至於同乎天也。

보편적 덕성을 지닌다고 하는 것은 곧 그것이 하늘과 같아지
는데 이르는 것을 말한 것이다.

이것은 우리의 민중사상인 東學이 "人乃天"을 말하는 것과 같
다. 우주와 내가 한 몸임을 깨달아 그 보편적 덕성을 구현할 수
있다고 한다면 天主(하늘님)가 따로 있는 것이 아니요, 곧 내가
天主요, 내가 하느님인 것이다.

   하늘과 같아진 사람은 道를 체현하게 되는 것이다(天乃道).
이에 필은 다음과 같이 주석한다.

與天合德, 體道大通, 則至於極虛無也。

하늘과 더불어 그 덕을 합치면 곧 도를 체득하여 크게 통하
게 되는 것이니, 그리하면 곧 지극한 빔에 이르게 되는 것이
다.

허무한 道에 이르게 되면 우리는 영원할 수 있다(道乃久). 우

리가 말하는 영원은 물리적 영생이 아니다. 우리의 생명의 근원의 영속성인 것이다. 나 혼자 영원히 살려고 발버둥치며 하늘 꼭대기에 天國을 만들어 놓고 그곳에 멤바쉽을 얻으려고 애쓰는 가련한 모습은 동양인들의 세계관·가치관 속에는 보이지 않는 것이다. 필은 말한다.

窮極虛無, 得道之常, 則乃至於不窮極也。

빔의 궁극에 이르게 되면 도의 항상 그러함을 체득하게 된다. 그리하면 오히려 궁극됨이 없는 영원성에 이르게 되는 것이다.

왕필의 주석은 오묘하다. 궁극에 이르면 오히려 궁극이 사라지는 영원성에 이르게 되는 것이다. 이렇게 道를 체득하게 되면 우리는 죽을 때까지(沒身), 이 몸이 다할 때까지, 위태로움을 모르게 되는 것이다. 이 마지막 구절의 왕필해석은 매우 兵家적 전통을 전승하고 있다. 그리고 우리가 지금 홍콩영화에서 경험할 수 있는 "무술," "쿵후"(꽁후우, kung-fu)의 원류를 여기서 발견하게 되는 것이다. 서구인들이 인간의 신체의 허약(frailty)을 받아들이고, 그 대신 영혼의 영생을 꾀했다고 한다면, 중국인들은 그렇게 신체와 영혼을 분리할 수 없는 몸(Mom)이라고 하는 토탈한 상태의 특수한 단련을 通해 天地와 合體되는 체험을 하려했던 것이다. 그것이 바로 인류사에 그 유례를 보기 어려운 몸의 예술, 즉 무술(martial arts)의 발전을 가져오게 된 것이다.

無之爲物, 水火不能害, 金石不能殘。用之於心, 則虎
兕無所投其齒角, 兵戈無所容其鋒刃。何危殆之有乎!

내 몸의 빔의 단련의 경지는 물이나 불이 내 몸을 해칠 수 없고, 쇠꼬챙이나 돌덩어리가 내 몸을 상처나게 할 수 없다. 이를 내 마음에 쓰게되면, 곧 호랑이나 코뿔소가 그 이빨이나 외뿔을 들이박을 수 없고, 창이나 칼이 그 예봉이나 칼날을 들이댈 곳이 없다. 어찌 위태로움이 있다 말할 수 있으리오!

"沒身不殆"라고 하는 이 한마디에 대한 주석이 이와 같이 구체적인 "몸의 工夫"에 관한 것이다. 道의 체현의 최후적 결론이 "하나님 잘 믿고 천당가는 것"이 아니라, 이와 같이 현실적인 몸(Mom)으로 위태롭지 않게 사는 것을 의미하는 것이다. 여기 필주에서 가장 중요한 구절은 중간에 있는 "用之於心"이라고 하는 한마디이다. "빔의 공부"란 내 육체에만 적용되는 것이 아니요, 곧 내 마음에 동시에 적용되는 것이다. 무술은 육체의 공부일 뿐 아니라 동시에 내 마음의 공부인 것이다. 내 마음이 비

어 있을 때 비로소 내 신체는 자유자재로 돌아가며 호시(虎兕)
나 병과(兵戈)의 위험에 대처할 수 있는 것이다. 무술의 고수와
하수의 궁극적 차이는 "用心"의 수준에 있는 것이다.

十七章

太上, 下知有之;
태상, 하지유지;

其次, 親而譽之;
기차, 친이예지;

其次, 畏之;
기차, 외지;

其次, 侮之。
기차, 모지。

信不足焉, 有不信焉。
신부족언, 유불신언。

悠兮, 其貴言。
유혜, 기귀언。

功成事遂,
공성사수,

百姓皆謂我自然。
백성개위아자연。

열일곱째 가름

가장 좋은 다스림은,
밑에 있는 사람들이
다스리는 자가 있다는 것만 알 뿐이다.
그 다음은,
백성들을 친하게 하고 사랑하는 것이다.
그 다음은,
백성들을 두려워하게 만드는 것이다.
그 다음은,
백성들에게 모멸감을 주는 것이다.
믿음이 부족한 곳엔
반드시 불신이 있게 마련이다.
그윽하도다 !
그 말 한마디를 귀하게 여기는 모습이여.
공이 이루어지고
일이 다 되어도
백성들은 모두 한결 같이 일컬어
나 스스로 그러할 뿐이라 하는도다 !

説老 이 장은 노자가 인간세의 정부(government) 형태를 자기의 철학적 입장에서 가치위계적으로 논한 대목으로서 노자의 정치철학(political philosophy)를 논구할 때 많이 인용되는 章이다. 언뜻 보아서 유가나 법가에 대한 분별적 의식이 배어 있는 듯한 인상을 주기 때문에 후대에 성립한 파편이라는 생각이 들 수도 있으나 놀라웁게도 丙組 죽간의 첫부분을 거의 전장 그대로 장식하고 있다. 丙本에는 17장과 18장이 연이어 나오고 있는데 이것은 죽간 중에서도 丙本의 뚜렷한 성격을 잘 말해주는 것이다. 즉 죽간의 乙本의 성격이 修道·治身의 개인적 수양에 치우쳐 있다고 한다면 丙本의 성격은 주로 治國의 사회적 주제에 치우쳐 있는 것이다. 분명히 乙本과 丙本의 성립과정이 그러한 방향으로 의도적으로 選集되었다고 보여지는 것이다.

竹簡 乙本	治身
竹簡 丙本	治國

1. 太上, 下知有之 :

필은 "太上"을 大人이라 하여 "위에 있는 통치자"(the supreme ruler)의 의미로 보고 뒤에 나오는 문장의 有之의 목적격의 도치형태로 보았다. 그러나 "太上 … 其次 … 其次 … 其次…"의 형식은 선진의 타문헌, 『左傳』, 『戰國策』, 『韓非子』, 『文子』, 『逸周書』 등에 그 용례가 나오고 있으므로, 왕필의 해석은 정확하다고 볼 수가 없다. 문자 그대로 해석하면, "그 옛날에는 어떠어떠 했고, 그 다음엔 … , 그 다음엔 …, 그 다음엔 … "의 뜻으로 인간세의 역사의 흐름에 있어서 후세에 이를수록 타락의 정도가 심해가는 과정을 나타낸 것이다. 그러나 이 것은 반드시 역사적 전제가 없이도, 그냥 가치관의 서열을 공시적으로 표현한 말일 수도 있다. 즉 "가장 좋은 것은 즉 가장 이상적인 정치형태는 …… , 그 다음으로 좋은 것은 …… , 그 다음으로는 …… , 그 다음으로는 ……"의 뜻으로 풀어 무방할 것이다.

노자가 말하는 가장 이상적인 정치는 어떠한 정치의 형태일까? 첫 구문의 "下知有之"가 영 해석이 매끄럽지 않다 하며 많은 고증가들이 그것을 "不知有之"로 바꾸어 해석했다. 즉 가장 이상적인 정치는 국민들이 지배자가 있는 지도 알지를 못한다는 것이다. 아래下를 아니不의 자형혼동의 결과라고 본 것이다. 그런데 재미있게도 帛書 甲·乙이 모두 정확하게 "下知有之"로

되어 있을 뿐 아니라, 竹簡本도 "下知有之"(下智又之)로 되어
있는 것이다. 항상 고증가들의 무리한 교정이 얼마나 아전인수
격인가 하는 것을 다시 한번 실증하여 준 것이다.

"下知有之"의 뜻은 아랫 사람들이 다스리는 자가 있다는 것
만 안다는 뜻이다. 治者가 하등의 부담스러운 존재가 아니라는
뜻이다. 왕필은 이에 주를 달아 말하기를 :

　　太上, 謂大人也。大人在上, 故曰太上。大人在上, 居無爲之
　　事, 行不言之敎, 萬物作焉而不爲始, 故下知有之而已。言從
　　上也。

　　태상이란 대인을 말한 것이다. 대인은 백성 위에 있음으로
　　태상이라 표현한 것이다. 대인은 백성 위에 있으면서 함이
　　없는 일에 거하고 말이 없는 가르침을 행하고, 만물이 잘 되
　　어가도 그것을 자기가 주관해서 시작하려 하지 않는다. 그러
　　므로 자연히 아랫 사람들이 그냥 있다는 것 만을 알뿐이다.
　　이것은 백성들이 군말없이 편하게 지배자를 따르는 모습을
　　그린 것이다.

다시 말해서 『노자』 2장·3장에서 말한 성인지치(聖人之治)
를 재확인한 것이다. 노자가 말하는 이상적인 정치는 無爲의 다
스림이요, 不仁의 다스림이요, 自然의 다스림이요, 억지가 없는

다스림이다. 국민이 지배자의 존재를 인식한다는 것 자체가 그 지배자의 군림적 성격에 대해 어떠한 부담을 느낀다는 것을 의미한다. 가장 이상적인 정치는 지배자가 있는지도 모르게 스스로 굴러가는 것이다. 모든 조직의 이상적 운영은 그 조직의 리더가 있는지도 모르게 스스로 굴러가는 것이다. 그 다음은 무엇인가?

2. 其次, 親而譽之 :

여기서 우리는 필연적으로 유가적인 仁의 정치를 연상할 수 있다. 유위적인 사랑이 있고, 왕필의 표현대로 "造立施化" 즉 만들어 주고(造), 세워 주고(立), 베풀어 주고(施), 교화시켜주는 (化) 정치인 것이다. 필은 말한다.

不能以無爲居事, 不言爲教, 立善行施, 使下得親而譽之也。

무위로써 일에 처할 수 없고, 말이 없는 것으로써 가르침을 삼을 수 없게 되니까 선을 세우고 베품을 행하는 짓을 하게 된다. 그래서 밑에 있는 사람들로 하여금 친함을 얻고 칭찬을 받게 하는 것이다.

仁의 정치는 결코 바람직한 것이 아니다. 그렇다면 그 다음은 또 무엇인가?

3. 其次, 畏之 :

여기서 우리는 法家的인 세계를 연상케 된다. 無爲의 정치가 깨지면서 仁義의 정치가 있게 되고, 仁義가 깨지면서 권위주의적 法의 질서가 등장하게 되는 것이다. 상・벌에 의한 두려움 (畏)의 의타적 기준에 의하여 그 질서의 틀을 짜는 것이다. 필은 말한다 :

不復能以恩仁令物, 而賴威權也。

또 다시 은혜와 인자함을 베푸는 것으로써는 이제 사물을 부릴 수가 없게 되므로 하는 수 없이 위협과 권세에 의존하게 되는 것이다.

법의 질서란 결국 도덕이 파기되는 곳에서 솟아나는 威權(위권) 이다. 그것은 위협적 권위(intimidating authority)다. 그러나 아직까지는 이러한 위협적 권위라도 좋다. 이러한 法制질서마저 깨져버리면 어떻게 되는가?

4. 其次, 侮之 :

법령이 먹힌다는 것은 그래도 그 사회는 질서감각이 있다는 것이다. 법질서마저 먹히지 않게 되면 어떻게 되는가? 그것은 국민에게 수모감과 수치감을 안겨주는 압제와 공포의 정치인 것이다. 侮之(모지) ! 국민을 모멸하는 정치 ! 국민을 수치와 수모로 몰아넣는 정치 ! 한마디로 국민을 강간하는 정치다 ! 그것은 우리나라 박정희 군사정권의 유신체제로부터 전두환 정권의 광주인민대학살을 거쳐 문민정부에 이르는 7·80년대의 역사를 회고하면, 하루도 길거리에 최루탄의 매콤한 연막이 사라질 날이 없었던 나날을 연상하면, 노자가 말하려는 이 최하의 정치행태를 너무도 쉽고 생생하게 감지할 수 있을 것이다. 7·80년대를 지나 오늘에 우리역사가 이르렀다고 하는 것은 동아시아 역사 발전의 전단계를 비교적으로 상고할 때, 너무도 장쾌한 우리민족의 슬기의 소치라 아니할 수 없을 것이다. 그런데 이 17장에서 우리의 이목을 가장 집중시키는 대목은 바로 다음 구절이다.

무위정치 (太上)
↓
인의정치 (其次)
↓
법제정치 (其次)
↓
공포정치 (其次)

5. 信不足焉, 有不信焉 :

이 구절의 가장 평범한 해석은 "믿음이 부족하도다! 그러니 불신이 있도다!"이다. 그런데 帛書나 竹簡이 나오기 이전에 이미 淸나라 때의 유명한 고증학자 王念孫은 끝의 焉을 없애고, 이 구절은 "信不足, 焉有不信。"이 되어야 한다고 주장했다. 이러한 주장은 매우 기발한 텍스트의 문제를 지적한 것이다. 그러나 애석하게도 그는 그의 주장의 의미를 전혀 깨닫지 못했다. 그리고 "焉"의 의미를 "於是"(이에, 그러므로)로 풀이했다. 그렇다면 실제로 "信不足焉, 有不信焉"을 "信不足, 焉有不信"으로 바꾸어도 의미상에 아무런 차이가 없게 된다. 후자의 의미가 "信이 不足하다, 이에 不信이 있다"의 평범한 뜻이 되어버리기 때문이다. 그런데 아주 상식적인 한문 문법을 따라 이해하자면, "信不足, 焉有不信"은 이렇게 해석되어야 마땅하다.

　　　믿음이 부족한데 어찌하여 불신이 있겠는가?

"焉"의 뜻은 "어찌하여 …… 인가?"로 새기는 것이 가장 자연스럽기 때문이다. 그런데 이렇게 해석해놓고 보면 도무지 의미가 통하지 않는다. 무언가 이상하다! 이러한 문제를 다시 한번 야기시킨 상황이 바로 帛書와 竹簡本의 발견으로 드러나게 된 것이다.

王本	信不足焉，有不信焉。
帛甲本	信不足，案有不信。
帛乙本	信不足，安有不信。
簡本	信不足，安有不信。

簡本이 나오기 전 帛書만 나왔을 때, 그러니까 7·80년의 帛書를 교석하는 학자들은 "信不足, 案有不信"의 의미를 앞서 王念孫이 지적한 바대로 案을 焉과 동일한 것으로 보고, 또 그 의미를 "이에," "그러므로," "곧"등의 뜻으로 새겨, 아주 평범한 문장으로 만들어 버렸다. 다시 말해서 王本과 별 의미상의 차이가 나지 않는 분위기로 맞추어 해석한 것이다. 高明은 말한다.

按今本焉字，帛書甲本作案，乙本作安。焉，案，安三字皆如今語中之連詞於是或則，意義相同。王引之經典釋詞卷二：「安，猶於是也，乃也，則也。安或作案，或作焉，其義一也。」

지금 왕필본의 焉자는 백서 갑본은 案으로, 을본은 安으로 표기해 놓았다. 焉, 案, 安 세 글자는 요새말의 접속사인 於是(이에), 則(그런즉)과 같은 것으로 그 뜻이 일치한다. 왕인지(王念孫의 아들이며 고증학의 대가)가 지은 『경전석사』 제2권에 다음과 같이 쓰여져 있다: "安은 於是, 乃, 則과 같다. 安은 案이라고도 쓰고, 焉이라고도 쓰는데 그 뜻은 다 같다."

이 고증학자들의 말은 아주 그럴듯하게 들린다. 그러나 그들은 문장의 의미의 오리지날한 맥락과 그 역사적 변천과 그 글자들의 의미론적 분석에 있어서 완전히 주먹구구식의 때려맞추기를 자행하고 있는 것이다. 내 감각에는 도저히 "焉有不信"이나 "安有不信"이 "그러므로 불신이 있다"로 해석될 수는 없는 것이다. 그렇게 진부한 의미의 부연(reiteration)일 수가 없는 것이다. 무엇인가 反語的인 역동성이 숨어있다고 보여지는 것이다. 이러한 역동성은 바로 이 17장에서 다 판결될 수는 없었지만, 다음의 18장에 해당되는 죽간의 문장패턴과의 연속성 속에서 분명하게 재해석되어야 하는 엄청난 상황이 드러나게 된 것이다. 그것은 무엇일까?

焉이나 安이 문장 앞에 올 때는 그것은 분명하게 의문사이다. 어찌 焉, 어찌 安이다. 현대 중국말에 "哪裡"에 해당되는 말이다. 그렇다면 "安有不信"은 분명히 "哪裡有不信"(어찌하여 불신

이 있을 수 있겠는가)의 뜻이 된다. 의미론적으로 정반대의 뜻이
되는 것이다.

우선 "信"이라는 글자가 왜 이 정부형태론을 나열하는 맥락
에서 등장했는가를 우리는 분석해볼 필요가 있다. 信은 상형자
도 아니요, 형성자도 아니다. 이것은 단순한 회의자(會意字)이
다. 즉 人과 言이라는 두 개의 의미를 합쳐서 만든 글자라는 뜻
이다. 그 모습과는 아무 상관이 없다.

20세기 기독교적 가치의 팽배, 서양중세철학의 무분별한 도입
으로 우리나라 언어에 크나큰 혼란이 일어났다. 信은 그 대표적
인 용례에 속한다. 信은 "신앙"(Belief)이나 종교적 "믿음"을
나타내는 말이 전혀 아니다. 信은 일차적으로 "말"(言)에 관한
것이다. 한 인간의 말이 얼마나 증명, 신험될 수 있는가? 그 신
험, 신빙성의 정도를 나타내는 단어다(8장 참조). 信은 현대언어
철학에서 말하는 사실과의 대응관계나 논리적 정합성을 표현하
는 베리피케이션(verification)의 문제인 것이다. 信은 곧 "믿음
직스러운 말"이다. 누구의 말인가? 여기서는 治者의 말인 것이
다. 지배자의 政令을 말하는 것이다. 지배자의 誥令에 대하여
피지배자가 信服하는 관계를 나타내는 말인 것이다.

앞 뒤 문맥을 잘 살펴보면, 무위정치 → 인의정치 → 법제정

치 → 공포정치의 순서는 곧 이 "信"의 타락의 과정을 의미한다. 그러나 진정한 無爲의 정치는 "下知有之," 밑에 있는 사람이 治者가 있다는 것만 아는 정치, 다시 말해서 지배자가 일체 政令으로 백성을 괴롭히지 않는 정치이며, 그것은 處無爲之事하며 行不言之敎하는 다스림인 것이다. 여기 行不言之敎의 "不言"을 잘 생각해볼 필요가 있다. 不言은 곧 不信의 다른 표현일 수도 있기 때문이다.

$$不\ 信\ =\ 不\ 言$$

다시 말해서 우리는 "不信"을 후대의 관념에 따라 나쁜 뜻으로 새긴 것이지만, 그것은 최소한 노자의 오리지날한 맥락에 있어서는 좋은 뜻이요, 최상의 정치, 즉 政令, 誥則이 필요없는, 法制적 위압이 필요없는 不言之敎의 상태를 나타내는 반어적 표현일 수 있는 것이다. 그렇다면 쟁점이 되고 있는 구문은 다음과 같이 해석될 수 있는 것이다.

信不足, 安有不信?

다스리는 자와 다스려지는 자 사이의 정령조차도 충분한 믿

음이 성립하지 않는데, 어찌 그러한 정령조차 필요없는 무위
의 정치를 논구할 수 있으리오?

바로 이러한 새로운 해석의 가능성의 맥락 속에서 그 다음에 연
이어 나오고 있는 "貴言"의 필연적 의미가 올바르게 해석될 수
있는 것이다. 왕필은 이러한 오리지날한 맥락을 파악하지 못했
던 것이다. 그리고 왕필의 왜곡으로 후대의 모든 해석가들이 반
어적 연막을 뚫을 수 없었던 것이다.

6. 悠兮, 其貴言 :

바로 여기의 "貴言"은 不言, 不信과 의미론적으로 통하는 맥
락에서 이해가 되어야 한다. "貴言"은 말 그 자체를 귀하게 여
긴다는 뜻이 아니라, 통치자는 말 한마디를 내뱉는 것을 삼가야
하고 어렵게 생각해야 한다는 뜻이다. 앞에 "悠兮"라는 감탄사
가 帛·簡에는 다르게 표현되어 있다.

王本	悠 兮
帛本	猶 呵
簡本	猶 乎

왕필의 표현이 가장 아브스트랙트(추상적)하다. "猶"라는 것은
"유예"의 모습이다. 즉 우물쭈물대는 모습, 주저하는 모습인 것
이다(15장에 이미 나옴). 통치자는, 성인은 말 한마디 내뱉는 것을
어렵게 생각해야 하며, 말할 때는 주저주저 다시 생각하고 또 생
각해야 한다는 것이다. "悠兮! 其貴言"은 "주저주저 하는도
다! 말 한마디 하기를 어려워하는 저 모습이여"의 뜻인 것이다.

7. 功成事遂, 百姓皆謂我自然 :

"功成事遂"는 "功成而弗居"(2장)의 맥락에서 이해하면 될 것
이다. 그런데 여기 "自然" 즉 비틀즈가 말하는 "Let it be"의
최초의 명료한 용례가 나오고 있는 것이다. "공이 이루어지고
일이 다 되어도"(功成事遂)는 지배자의 노력에 의한 훌륭한 결
과를 지칭할 것이다. 그럼에도 불구하고 백성들은 모두 일컫기
를, "我自然"이라 한다는 것이다.

여기 만약 요새 이론의 함의에 의하여, "自然"을 명사로 해석
한다면, 서양식의 "Nature"라는 자연을 의미한다면, 그 뜻은
이렇게 요상하게 될 것이다.

공이 이루어지고 일이 다 완수되어도 백성들은 모두 일컬어
나는 그런밴트다 라고 하는도다 !

도대체 이렇게 조잡한 번역이 있을 수 있는가? 그런데 불행하게도 우리나라의 노자 이해수준이 이 정도에서 머무르고 있다는 사실을 직시하고 반성해야 할 것이다. 老子의 自然은 명사로 쓰인 적이 없다. 그것은 狀詞일 뿐이며 기술적 술부 전체이다. 인간의 입에서 만들어진 "自然"(tzu-jan)이라는 말 자체가 老子에서 최초로 규정된 것이며, 우리의 모든 自然에 관한 용례는 노자를 기준으로 해야 하는 것이다.

功成事遂, 百姓皆謂我自然。

공이 이루어지고 일이 이루어져도 백성들은 모두 한결같이
말한다 : 나 스스로 그러할 뿐이다.

그 얼마나 아름다운 유토피아의 현실적 모습인가? 동양인이 그리는 유토피아는 달성불가능한, 어디에도 있지 아니한 우토포스(utopos)가 아니다. 그것은 현실적으로 실현가능한 원칙일 뿐이다. 인간세를 다스리려 하는 자들이여! 온갖 국회의원, 관료, 대통령들이여! 노자의 이 말을 명심하시게! 그대들의 정치적 공이 이루어지고 경제적 플랜이 다 완수되어도 백성입에서 이 한마디가 나오도록 허시게! 나 스스로 그러하다! 자연은 명사가 아니다. 그것은 스스로 그러함이라는 기술일 뿐이다. 정치

의 지고의 목표는 치자의 공을 역사에 남기는 것이 아니라, 치자의 공을 역사에서 지우는 것이다. 치자는 백성의 스스로 그러함의 한 계기일 뿐인 것이다. 영원히 그 이름이 드러나야 할 존재가 아닌 것이다. 역사에 성군(聖君)이 존재해서는 아니되는 것이다.

十八章

大道廢, 有仁義。
대도폐, 유인의。

慧智出, 有大僞。
혜지출, 유대위。

六親不和, 有孝慈。
육친불화, 유효자。

國家昏亂, 有忠臣。
국가혼란, 유충신。

열여덟째 가름

큰 도가 없어지니
인의가 있게 되었다.
큰 지혜가 생겨나니
큰 위선이 있게 되었다.
육친이 불화하니
효도다 자애다 하는 것이 있게 되었다.
국가가 혼란하니
충신이라는 것이 있게 되었다.

説老 내가 대학교 때 『노자』라는 반역의 서를 처음 읽었을 때, 나의 흥분 속에 가장 충격적으로 직접 와닿은 장을 꼽으라면 나는 서슴치 않고 이 장을 꼽을 것이다. 이 장이 나의 느낌에 던지는 反語的 비꼼은 나의 일상적 가치관을 뒤흔들어 놓기에 충분한 것이었다.

여기서 말하는 仁義니 孝慈니 忠臣이니 하는 것은 사회적으로 善으로 받아들여지는 至高의 가치들이다. 요즈음 말로 하면, 민주(Democracy)니 정의(Justice)니, 자유(Liberty)니 하는 따위의 것들과 하등의 차이가 없는 우리 전통사회에서 추구했던 사회질서의 기강들이었다. 그런데 이러한 지고의 사회적 가치로 받아들이는 덕목들의 존재이유를 道的으로 분석해 보면 그것은 매우 취약한 기반 위에 서 있음을 발견하게 되는 것이다. 유가가 仁義를 말하게 되는 것은, 바로 노자가 말하는 大道가 廢해졌기 때문에 비로소 발생하는 말엽적 현상이다. 자꾸만 큰 지혜를 운운하니깐 따라서 큰 위선이 생겨나는 것이다. 지혜를 운운치 않으면 위선도 생겨날 자리가 없는 것이다.

효도하라! 자애롭게 자식을 대하라 라는 따위의 도덕적 명제가 근원적으로 六親이 不和하니까 생겨나는 것이다. 육친이 불화하지 않으면, 孝慈니 형제간의 우애니 하는 따위를 근원적으로 의식할 필요가 없게 될 것이다.

충신이 있다는 것은 이미 그 국가가 혼란해졌다는 사실의 방증일 뿐이다. 우리는 충신을 절대적으로 숭상할 필요는 없다. 그 국가를 혼란치 않게 만드는 근본대책이 필요한 것이다. 다시 말해서 충신을 만들려고 도덕교육을 시킬 것이 아니라, 충신이 나올 필요가 없는 사회를 만드는데 헌신할 수 있는 큰 인물을 키워야 하는 것이다. 여기 反語的 아이러니는 유가적 통념을 깨기에 충분한 것이다.

현 정권이 "제2의 건국" 운운한다는 것 자체가 이미 나라가 너무 극심하게 해체되었다는 사실을 방증하는 하나의 사례가 될지언정, 그 어느 누구도 "제2의 건국"에 성심성의껏 동참하려는 생각을 가진 자는 없다. 그 모두가 레토릭(수사학)에 불과한 것이다. 어찌 仁義다, 孝慈다, 忠臣이다 하는 것들이 "제2의 건국"보다 더 나은 레토릭일 수 있으랴! 왕필은 말한다 :

甚美之名, 生於大惡, 所謂美惡同門。六親, 父子·兄弟·夫婦也。若六親自和, 國家自治, 則孝慈·忠臣不知其所在矣。魚相忘於江湖之道, 則相濡之德生也。

매우 아름다운 이름은 크게 추한 것에서 생겨난다. 아름다움과 추함이 결국 같은 것이라는 말이 곧 이것을 의미한다. 육친이란, 부자·형제·부부를 말하는 것이다. 만약 육친이 스스로 조화를 이루고 국가가 스스로 다스려 진다고 한다면, 효자니 충신이니 하는 따위의 말들은 도무지 있을 곳이 없어질 것이다. 고기들은 물속에서 서로를 잊고 헤엄친다. 그래서 서로를 윤택하게 하는 덕이 스스로 생겨나게 되는 것이다.

그런데 최근 죽간의 발견은 이 장의 해석에 있어서 획기적인 새 축을 도입하지 않으면 안되는 상황을 야기시킨 것이다. 사실 죽간의 발견 이전에 이미 백서의 연구단계에서 이러한 문제가 충분히 제기되었어야 했으나, 그 때만해도 王本과의 외면적인 연속성 때문에 帛本의 해석을 크게 달리할 수 있는 생각의 틀을 마련할 수 없었던 것이다. 새로 발견된 죽간 텍스트(丙本 두번째)의 전문을 밝히면 다음과 같다.

故大道廢, 安有仁義?
六親不和, 安有孝慈?
邦家昏亂, 安有正臣?

여기서 명백히 우리는 이 구절의 해석을 王本과는 달리 할 수밖에 없는 국면에 봉착하게 된다. 바로 이 장의 해석과의 통사적 연계성 때문에 나는 전장의 "信不足, 安有不信?"의 해석을 기존의 안일한 해석과 달리할 수밖에 없었던 것이다. "安有不信"의 "不信"이 의미론적으로 부정적 맥락일 수 없었다. 마찬가지로 王本의 "大道廢, 有仁義。"에서 仁義가 전면적으로 부정되어야 할 사태인 것에 비하여, 簡本의 "大道廢, 安有仁義"의 "仁義"는 꼭 부정되어야 할 사태일 수가 없는 것이다. 그것이 지고의 가치로 긍정되고 있는 것은 아니라해도, 大道에 대한 차선책으로, 사회질서의 한 방편으로 긍정되고 있는 것이다. 다시 말해서 유교적 덕목이라고 지칭되는 가치들이 죽간 노자에게서는 전혀 대립의식을 띠고 나타나는 것이 아닌 것이다.

故大道廢, 安有仁義?
그러므로 대도가 폐하여졌으니
어찌 인의가 작용할 수 있으리오?

六親不和, 安有孝慈?
이미 육친이 불화한데
어찌 효자를 운운할 수 있으리오?

邦家昏亂, 安有正臣?
이미 나라가 어지러운데
어찌 바른 신하가 설 자리가 있으리오?

뉴앙스가 상통하기는 하면서도 王本이 仁義·孝慈·忠臣을 완전히 大道·六親·國家 후의 타락사태로 보는 부정적 시각과는 분명한 出入이 있다. 이것은 『노자』라는 텍스트의 오리지날한 성격이 결코 仁義를 말하되, 유가를 의식하면서 말한 것이 아니라는 것, 역으로 말하면 仁義라는 가치가 결코 유가에 의해서 독점된 가치가 아니었다는 것을 반증하는 것이다.

왕필텍스트나 백서텍스트는 이러한 부정적 맥락, 즉 大道(대긍정)와 仁義(대부정)의 극적인 콘트라스트를 강화시키기 위하여 "慧智出, 有大僞"라는 한 구절을 후에 삽입시켰던 것이다. 그러나 "慧智出, 有大僞"가 문맥의 구조로 볼 때 기타 세 구절과는 이질적 성격의 것이라는 것은 너무도 명료하게 드러나는 것이다.

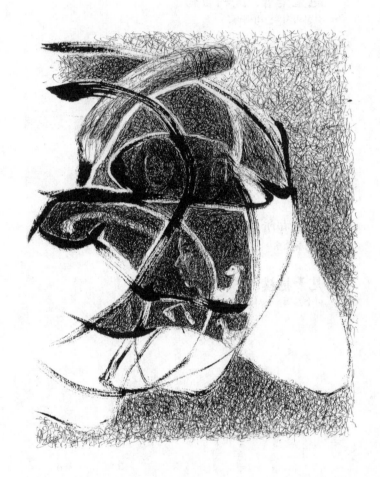

그림 : 강우현

十九章

絶聖棄智, 民利百倍;
절성기지, 민리백배;

絶仁棄義, 民復孝慈;
절인기의, 민복효자;

絶巧棄利, 盜賊無有。
절교기리, 도적무유。

此三者, 以爲文, 不足,
차삼자, 이위문, 부족,

故令有所屬。
고영유소속。

見素抱樸, 少私寡欲。
현소포박, 소사과욕。

열아홉째 가름

성스러움을 끊어라 !
슬기로움을 버려라 !
백성의 이로움이 백배할 것이다.
인자함을 끊어라 !
의로움을 버려라 !
백성이 다시 효성스럽고 자애로울 것이다.
교사스러움을 끊어라 !
이로움을 버려라 !
도적이 없어질 것이다.
이 세가지는
문명의 장식일 뿐이며
자족한 것이 아니다.
그러므로
돌아감이 있게 하라 !
흰 바탕을 드러내고
통나무를 껴안아라 !
사사로움을 줄이고
욕심을 적게 하라 !

說老 이 장은 우리가 여태까지 얘기해온 反主知主義 (anti-intellectualism), 反文明論(counter-culturalism), 그리고 無爲的 정치철학의 입장을 아주 강렬한 명령형으로 정리해 놓은 장으로 노자의 사회관을 이야기할 때 심히 인용이 많이 되는 장이다. 현소포박(見素抱樸)이니, 소사과욕(小私寡欲)이니 하는 문구는 거의 노자철학을 대변하는 숙어로서 잘 인용된다. 그리고 이 장은 竹簡의 甲本 제일 첫머리에 거의 전문이 다 등장함으로써 마치 노자의 제1장과도 같은 느낌의 중요성을 차지하게 되었다. 그리고 王本과 죽간본 간에는 중요한 차이가 발견되었다. 그것은 18장에서 우리가 토의했던 주제와 일치되는 것이다. 양자를 대비하면 다음과 같다.

王本	簡本
絶聖棄智, 民利百倍。	絶智棄辯, 民利百倍。
絶仁棄義, 民復孝慈。	絶巧棄利, 盜賊亡有。
絶巧棄利, 盜賊無有。	絶僞棄慮(詐), 民復孝慈。

왕본의 聖智, 仁義, 巧利의 三者가 간본에서는 智辯, 巧利, 僞慮의 三者가 된다.(간본에는 慮자 속에 들어있는 田자가 且자로 되어 있는데, 裘錫圭는 이것을 詐자로 보았다. 나는 그렇게까지 볼 필요는 없다고 생각한다.) 여기서 중요한 것은 간본에는 "仁義"가 빠져 있다는 것이다. 다시 말해서 간본의 층대에서는 도무지 仁과 義를 絶(끊고)棄(버려야 할)의 대상으로 간주하지 않았다는 것이다. 다시 말해서 도가사상의 출현이 결코 유가사상의 안티테제로 등장한 것은 아니며, 유가사상과 도가사상은 초기에는 서로 공감하는 시대정신(Zeitgeist)을 공유하고 있었다는 것이다.

聖과 智를 絶棄하라! 물론 이것은 노자가 범인에게 던지는 말은 아니다.

그것은 바로 이 인간세의 리더들에게 던지는 말인 것이다. 백성을 이끌어 가는 치자들이 공연히 자신을 성스럽다고 생각하고, 자신을 지혜롭다고 생각하면 그것은 곧 훌륭한 치자가 될 수가 없다. 치자들의 聖智의 자기기만성 때문에 오히려 백성들은 괴로움을 당하고 이로움이 없어지는 것이다.

"聖"이 帛書 甲本에는 "聲"으로 되어 있고 乙本에는 "耵"으로 되어 있는 상황은 이미 설명한 바와 같다(『上』, 130쪽). 聖에는 "신의 신탁을 듣는다"는 종교적 의미가 내포되어 있다. 통치자의 종교적 성향은 가장 경계해야 할 아집이다. 어떤 상황이든지, 한 종교의 성스러운 경지에 미쳐있는 사람은 정치적 지도자가 될 수 없다. 지도자는 聖人(종교적인 사람)이 되어서는 아니된다. 신적인 지혜의 자만감을 가져서는 아니되는 것이다. 종교적 집단에 있어서 조차도 과도하게 성스러운 사람은 그 집단의 참된 리더가 될 수 없는 것이다.

仁義를 絶棄하라! 지도자는 인의로써 아랫사람을 대해서는 아니된다. 인의의 덕목을 초월하는 不仁한 보편주의로써 백성을 대하여야 할 것이다. 그리하면 오히려 백성들이 효성스럽고(孝, 자식이 부모에게 대하는 감정), 자애롭게(慈, 부모가 자식에게 대하는 감정) 될 것이다.

巧利를 絶棄하라! 백성을 이롭게 한다 하면서 자꾸만 巧詐스러운 문명의 이기를 발전시키면 시킬수록 백성은 도둑놈이 되어갈 뿐이다. 巧利는 문명의 이기를 발전시키는 모든 테크놀로지를 총칭한다고 볼 수도 있다. 『장자』「천지」편에는 다음과 같은 재미있는 고사가 실려있다.

공자의 제자 자공(子貢)이 남쪽의 초나라로 여행을 갔다가 진(晉)나라로 돌아올려고 한수(漢水) 남쪽을 지나게 되었다. 그런데 저 들판에서 한 노인이 깊은 우물에서 물을 일일이 항아리로

길어내어 밭에 물을 주고 있었다.

그 모습이 아주 힘들게 보였다. 그래서 자공은 그 노인에게 다가가 말을 걸었다.

"제가 물을 효율적으로 퍼올릴 수 있는 기계를 소개해드리지요. 이것은 고(槹)라는 이름의 기계입니다만 이런 방식으로 물레방아처럼 퍼올리면 노력은 조금 들이고도 그 공이 클 수가 있습니다."(用力甚寡, 而見功多。)

이때 노인이 자공을 무안하게 한참 빤히 쳐다보다가 되물었다.

"댁은 뭐하는 사람이요?"(子奚爲者邪?)

"저는 孔子의 제자로서 여기저기 공부하러 다니는 사람입니다."(孔丘之徒也。)

그러자 그 노인은 발끈 성을 내는 듯이 한바탕 유려하게 내뱉었다.

"아~ 그 창녀새끼의 새끼로구만! 여기저기 벼슬아치 밑구멍이나 빨러 다니면서 聖學을 팔어먹고, 저 혼자 거문고를 타면서 아주 슬픈 듯한 목소리로 노래를 부르며 대중을 어리둥절하게 만들며 명성을 천하에 휘날리는 그자의 주구로구만!"

"노인장! 말씀이 너무 심하십니다 그려!"

그랬더니 노인장은 대짜고짜 반문하는 것이었다.

"여보시오! 내가 당신이 말하는 기계를 몰라 이 짓을 하고 있는 줄 아시오? 나는 내가 지킬려는 道가 있소. 도 앞에 부끄러워 나는 기계를 쓰지 않을 뿐이요. 내 몸하나 못다스리는 자가 어찌 천하를 다스리려 하오?"

자공은 약간 부끄러운 마음이 들어 고개를 숙이고 있었다.(子貢瞞然慚, 俯而不對。) 이때 노인은 자공에게 위대한 연설을 늘어 놓았다.

"나는 내 스승에게 일찍이 들었소.(吾聞之吾師。) 인간의 삶에 기계가 도입되게 되면 기계로 인한 일들이 반드시 생겨나게 되오.(有機械者, 必有機事。) 그리고 기계로 인한 일들이 생겨나면 반드시 기계로 인한 나태한 마음이 생겨나게 마련이오.(有機事者, 必有機心。) 그리고 이러한 기계로 인한 마음이 가슴에 들어

박히게 되면 순결하고 물들지 않은 인간의 본성을 해치게 마련이라오.(機心存於胸中, 則純白不備) 인간의 본성을 해치게 되면 신령스러운 우리의 생명이 제자리를 잃고 불안하게 되오.(純白不備, 則神生不定) 신령스러운 우리의 생명이 불안하게 되면 우리 존재는 영영 도에서 멀어져 갈 뿐이라오.(神生不定者, 道之所不載也)"

이 말을 듣는 순간 자공은 크게 깨달았다. 공자라는 스승이외에도, 너무도 큰 스승이 논이랑에 숨어있다는 것을 처음 깨달은 것이었다. 자공은 두려워 움츠러든 채 창백해져서 멍청하니 넋을 잃고 말았다. 머리를 못든 채 30리를 가서야 비로소 제 정신이 들었다.(行三十里而後愈)

이 고사는 동양문명이 왜 기술문명을 고도화시키지 않았는가에 대한 깊은 반추의 실마리를 제공한다. 어떤 의미에서 우리가 기술문명을 극대화시키지 않은 것은 의식적 선택이었을 수도 있다. 노자가 말하는 "巧利"는 결국 "機事," "機心"의 산물이다. 우리에게 소중한 것은 궁극적으로 문명의 형태가 아니라 인간이 인간답게 살 수 있는 삶이다. 밭에 양수기를 쓰는 것은 물론 에너지의 효율로 볼 때는 정당할지도 모른다. 그러나 그러한 정당성의 이면에는 끊임없는 인성의 타락이 동반된다. 양수기를 안쓰고도, 자족한 純白한 인간의 본성이 보존되는 삶을 살기를 원하는 사람을 우리는 존중하지 않아야 할 이유가 없다.

그러나 문제는 이러한 反문명적인 가치관을 서양의 제국주의, 특히 자본주의적 보편주의의 횡포는 허락하지를 않는다는 것이다. 그 밭의 노인은 자공을 부끄럽게 만들 수 있는 도덕적 권위가 있었다. 그러나 현대 미국 자본주의는 그러한 노인을 존중치 않는다. 그리고 그 노인에게 기계를 사용할 것을 강요한다. 그러나 여기 중요한 우리시대의 논리는 아무리 제국주의가 우리에게 싸이언스나 테크놀로지를 강요한다 하더래도 우리의 선택의 여지는 남아있다는 것이다. 우리의 의식이 참으로 깨어있다면 우리의 삶의 양태에 맞지 않는 과학이나 기술을 배제할 수 있는 실력도 함양할 수 있다는 것이다. 우리는 과학의 보편주의의 제물이 될 수가 없다. 우리에게 맞는 과학과 기술문명의 방향을 의도적으로 선택해야 한다는 것이다. 그리고 될 수 있는대로 機事와 機心을 배제시키는 삶을 존중해야 한다는 것이다. **우리가 위대한 과학의 발전이라고 외치는 많은 문명의 양태들이 그 근본을 뒤집고 보면 아주 하찮은 인간의 나태의 산물(the victory of human indolence)일 수도 있다.** 나태하고자 하는 마음, 조금 더 편하고자 하는 마음 때문에 문명은 발전할지 모르지만 우리의 몸과 마음이 썩어가고 있다는 사실을 우리는 다시 한번 21세기로 넘어가는 길목에서 반성해봐야 할 것이다.

1. 此三者, 以爲文, 不足 :

여기서 말하는 三者는 聖智, 仁義, 巧利이다. 그런데 이 三者
는 "文"이라는 것이다. 文이라는 것은 원래 "紋"이라는 글자와
통한다. 文은 무늬요 문양이요 문식(紋飾)이다. 즉 그것은 인간
의 삶의 본질이 아닌 표피적인, 감각적인 장식이다. 바로 노자의
반문명론은, 문명 그 자체의 거부라기 보다는 문명의 형태를 불
필요한 장식쪽으로 치우치게 만드는 유위에 대한 반성인 것이
다. 그 文은 항상 不足한 것이다. 우리의 본질적 삶에 대해 항상
不足한 것이다. 그것은 우리 삶의 본질적인 충족이 아닌 것이다.
우리를 피곤하게 만들고, 五色・五音・五味의 광란으로만 치우
치게 만드는 불행한 文化인 것이다. 文化의 본질은 생명의 창조
에 있는 것이지 죽음의 창조에 있는 것이 아니다. 文化가 生化
가 되어야지 文飾이 될 수는 없는 것이다.

2. 故令有所屬。見素抱樸。少私寡欲 :

그러므로 돌아가게 하라 ! 소속(所屬)이 있게 하라 ! 우리는
文에서 어디로 돌아가야 할까? 여기 노자가 항상 그 대안으로
제시하는 것은 素와 樸이다. 우리가 우리의 일상어법에서 소박
(素朴)이라고 하는 말이 곧 『노자』의 이 용법에서 유래된 것이
다. 소박은 심플리시티(Simplicity)라고 번역될 수 있다. 그것은
원초주의(primitivism)이며, 미니말리즘(minimalism)이라 할
수 있다.

"素"란 물감을 들이기 이전의 흰 천이다. 따라서 그것은 어떠한 그림도 그려질 수 있는 가능태요, 무규정자이다. 그것은 록크가 말하는 백지(타부라 라사, *tabula rasa*)와도 같은 것이다. 그러나 노자에게 있어서는 그것이 인식론적인 규정이 아니라 虛의 우주론적 규정인 것이다.

"樸"도 마찬가지다. 樸은 우리 성씨의 朴과 같은 글자이다. 그것은 "통나무"이다. "樸散則爲器"(28장)라는 말이 있다. 통나무를 우리가 쪼아(散) 그릇(器)을 만드는 것이다. 통나무는 무한한 그릇이 만들어 질 수 있는 가능태이다. 그것은 모든 형상(에이도스, *eidos*)이 가해지기 이전의 질료(휠레, *hyle*)이며, 그것은 무엇으로 실현되기 이전의 가능태(뒤나미스, *dynamis*)인 것이다. 따라서 樸(통나무)은 虛의 극대치이며 文飾이전의 질박한 원래모습이다.

현소포박(見素抱樸)과 짝을 이루는 말로서 소사과욕(少私寡欲)이 언급되고 있다. 여기서 중요한 것은 노자는 문자 그대로의 "무욕(無欲)"을 말하지 않는다는 것이다. 無欲의 실제적 의미는 少寡(줄인다)의 역동적·항상적 과정이라는 것이다. 인간은 욕이 없을 수는 없다. 그러나 항상 사를 줄이고 욕을 적게하는 방향으로 끊임없이 노력해야 한다는 것이다. 少와 寡는 형용사가 아니라 동사다. 즉 역동적 과정인 것이다. 그리고 "무욕"에 대해

"과욕"을 말했다는 것은 매우 중요하다. 과욕이야말로 우리가 素樸한 삶을 살 수 있는 첩경이며, 또 욕망의 완전한 부정을 의미하는 것이 아니기 때문이다. 인생은 과욕의 노력의 과정인 것이다.

여태까지 고증가들이 20장 첫머리에 나오는 "絶學無憂"가 19장 끝머리에, 見素抱樸, 少私寡欲과 함께 트리오로 붙는 것이라 생각했다. 易順鼎, 馬敍倫, 蔣錫昌, 李大防 등 모든 주석가들이 이구동성으로 그 학설을 찬동하였다. 그리고 帛書의 출현은 이 부분의 텍스트가 구독점없이 이어져 있었기 때문에 이러한 고증가들의 입장을 정당화시켜주는 듯 했다. 그런데 곽점 죽간의 출현은 이러한 고증가들의 쓸데없는 장난을 또 다시 "똥"으로 만들어 버렸다. 甲本에서 19장이 분명 "少私寡欲"에서 끝날 뿐 아니라, 乙本 세번째에 "絶學無憂"가 "唯之與阿"와 함께 출현하고 있기 때문이다. 王本의 장구는 정확했던 것이다.

二十章

絶學無憂。
절학무우。

唯之與阿, 相去幾何?
유지여아, 상거기하?

善之與惡, 相去若何?
선지여오, 상거약하?

人之所畏, 不可不畏。
인지소외, 불가불외。

荒兮, 其未央哉!
황혜, 기미앙재!

衆人熙熙, 如享太牢, 如春登臺。
중인희희, 여향태뢰, 여춘등대。

我獨泊兮, 其未兆, 如嬰兒之未孩。
아독박혜, 기미조, 여영아지미해。

儽儽兮, 若無所歸。
루루혜, 약무소귀。

衆人皆有餘, 而我獨若遺。
중인개유여, 이아독약유。

我愚人之心也哉! 沌沌兮!
아우인지심야재! 돈돈혜!

스무째 가름

배움을 끊어라 ! 근심이 없을지니.
네와 아니요가 서로 다른 것이 얼마뇨?
좋음과 싫음이 서로 다른 것이 얼마뇨?
사람들이 두려워 하는 것을
나 또한 두려워 하지 않을 수 없으리.
황량하도다 !
텅 빈 곳에 아무것도 드러나지 않네.
뭇 사람들은 희희낙낙하여
큰 소를 잡아 큰 잔치를 벌리는 것 같고,
화사한 봄날에 누각에 오르는 것 같네.
나 홀로 담박하도다 !
그 아무것 드러나지 아니함이
웃음 아직 터지지 않은 갓난아기 같네.
지치고 또 지쳤네 !
돌아갈 곳이 없는 것 같네.
뭇 사람은 모두 남음이 있는데
왜 나 홀로 이다지도 모자르는 것 같은가?
내 마음 왜 이리도 어리석단 말인가?
혼돈스럽도다 !

俗人昭昭, 我獨昏昏;
속인소소, 아독혼혼;

俗人察察, 我獨悶悶。
속인찰찰, 아독민민。

澹兮其若海, 飂兮若無止。
담혜기약해, 료혜약무지。

衆人皆有以, 而我獨頑似鄙。
중인개유이, 이아독완사비。

我獨異於人而貴食母。
아독이어인이귀식모。

세간의 사람들은 똑똑한데

나 홀로 흐리멍텅할 뿐일세.

세간의 사람들은 잘도 살피는데

나 홀로 답답할 뿐일세.

담담하여 바다같이 너르고

고고한 산들바람처럼 그칠 줄을 몰라.

뭇 사람들은 모두 쓸모가 있는데

나 홀로 완고하고 비천하여 쓸모가 없네.

나 홀로 뭇 사람과 다른 것이 있다면

만물을 먹이는 생명의 어미를

귀하게 여기는 것이지.

이 장은 특별히 문제될 것이 별로 없다. 특기할 사실은 이 20장이 죽간에 실려 있으나, "絶學無憂"로부터 시작해서 "不可不畏"에서 끝나고 있다는 사실이다. 그 뒤 "荒兮"로부터 시작되는 실존적 독백류의 문장은 道를 추구하고 사는 사람들의 고독한 내면의 심경을 표현한 詩와도 같은 것으로 아마도 후대에 첨가되었을 것이다.

우리말에 "식자우환"이라는 말이 있는데 이것도 다 노자의 "絶學無憂"의 통속적 표현이다. 배움을 끊으면 근심이 없어진다는 것은 배움의 부정이라기 보다는, 憂(근심)을 일으키는 방향의 學問의 무가치성을 지적한 것이다. 우리는 너무도 지식의 횡포에 시달려 살고 있는 것이다. 컴퓨터를 모르면 금방 바보가 되어버릴 것 같은 중압감속에서 살고 있는 것이다. 그러나 學이란 끊을 수 있는 것이다. 學을 끊을 수 있는 사람이래야 진정한 배움을 얻을 수 있는 것이다. 여기서의 "絶學無憂"는 四十八章의 "爲學日益, 爲道日損"과 연계되어 있다. 죽간 乙本은 48장의 "無爲而無不爲" 다음에 "絶學無憂"가 연결되어 있음으로, 이 20장의 논의 자체가 48장의 앞부분과 하나의 연속적 편으로 간주될 수 있는 가능성도 있다. 재미있는 것은 왕필의 20장 주가 죽간의 체제처럼, 48장의 내용을 언급하고 있다는 사실이다.

唯는 공손한 승락(諾)이다. 阿는 배척이요, 거부다. 다시 말해서 이것이 바로 우리가 세속적으로 말하는 學의 내용일 수 있다는 것이다. 어떠한 것을 받아들이고 배척하는 것이 學의 내용이며 이것이 쓸데없는 식자의 우환을 만든다는 것이다.

"善과 惡"은 죽간본, 백서본에 모두 "美與惡"로 되어 있다. 王本의 "善之與惡"는 좋음과 싫음으로 번역될 수 있고, 竹帛의 "美與惡"는 아름다움과 추함으로 번역될 수 있다. 이러한 판단을 둘러 싼 시시비비가 모두 식자들의 學의 내용이다. 그러나 이따위 것들은 아무래도 좋은 것이다. 긍정을 한들, 부정을 한들, 과연 그 차이가 얼마나 크며, 아름답게 여기든, 추하게 여기든, 과연 그 차이가 얼마나 큰 것이냐?

"人之所畏, 不可不畏"역시 이러한 무차별적 경지를 재확인한 것으로 보여진다. 和光同塵의 경지를 말한 것이다. 나의 판단이 결코 타인의 판단으로부터 튀는 것일 수 없다는 것이다. 그런데 이 구문에 있어, 王·帛·竹 三者의 미묘한 차이가 있다.

王本	人之所畏, 不可不畏。
帛本	人之所畏, 亦不可以不畏人。
簡本	人之所畏, 亦不可以不畏。

의미상으로 王本과 簡本은 대동소이하게 해석되어 진다. 그런데 帛本에는 끝에 人이라는 목적어가 다시 붙어 있기 때문에 그 뜻이 전혀 달라질 수가 있다.

"人之所畏"는 뭇 사람들이 두려워하는 존재를 가리키는 것으로 이것은 人君이다. 그리고 이 人君이 주어가 되어 그 다음 문장을 받는다. 그러면 이렇게 될 것이다 : "뭇 백성들이 두려워하는 人君 또한 뭇 백성들을 두려워하지 않을 수 없다." 즉 두려움의 상보성의 문제가 되며, 그것은 앞에서 말한 긍정—부정, 아름다움—추함과의 모종의 연계선상에서 해석될 여지도 있다. 아마도 나의 느낌에는 帛本이 가장 정확한 원래 맥락을 보존하고 있지 않나 생각된다.

그 뒤의 시적 표현은 원문의 번역대로 이해하면 족할 것이다. 제일 마지막 "我獨異於人而貴食母。"라 한 부분에 대하여 왕필은 다음과 같은 주석을 달고 있다.

食母, 生之本也。人者皆棄生民之本, 貴末飾之華。故曰我獨欲異於人。

식모란, 생의 뿌리이다. 뭇 사람들은 모두 인간에게 생명을 부여하는 그 뿌리를 망각하고 말엽의 장식적인 꽃만을 귀하게 여긴다. 그래서 나 홀로 뭇 사람들과 다르다고 한 것이다.

道를 추구하는 나의 고독은, 꽃을 귀하게 여기지 않고 그 뿌리를 귀하게 여긴다는데서 온다. 꽃은 피었다가 지곤 하는 것이지만 뿌리는 꽃의 피고 짐을 영속케 할 수 있는 어미이다. 食母는 道의 다른 표현이다.

나 도올은 노자의 이 말을 사랑한다. 澹兮！ 其若海。 飂兮！ 若無止。 동해바다의 일출을 보라！ 내가 보스톤에서 6년동안 새벽 매일 죠깅을 했던 대서양의 네이한트 비치！ 탁 트인 너른 바다에 담담히 펼쳐진 푸른 시야！ 그리고 그 창공을 고고히 거침없이 어느 한곳에 정착함이 없이 하늘거리는 미풍！ 그러한 인격의 모습이야말로 生命의 어미를 귀하게 여길 줄 아는 大人의 모습일 것이다.

二十一章

孔德之容, 惟道是從。
공덕지용, 유도시종。

道之爲物, 惟恍惟惚。
도지위물, 유황유홀。

惚兮恍兮, 其中有象;
홀혜황혜, 기중유상;

恍兮惚兮, 其中有物。
황혜홀혜, 기중유물。

窈兮冥兮, 其中有精;
요혜명혜, 기중유정;

其精甚眞, 其中有信。
기정심진, 기중유신。

自古及今, 其名不去,
자고급금, 기명불거,

以閱衆甫。
이열중보。

吾何以知衆甫之狀哉?
오하이지중보지상재?

以此。
이차。

스물한째 가름

빔의 덕의 모습은
오로지 도를 따를 뿐이다.
도의 물 됨이여!
오로지 황하고 오로지 홀하다.
홀하도다 황하도다!
그 가운데 형상이 있네.
황하도다 홀하도다!
그 가운데 물체가 있네.
그윽하고 어둡도다!
그 가운데 정기가 있네.
그 정기가 참으로 참되도다!
그 가운데 진실이 있네.
예로부터 지금까지
그 이름 사라지지 아니하니
이로써 만물의 태초를 살필 수 있지.
만물의 태초의 모습을 내 어찌 알리오!
이 도로 알 뿐이지.

도의 황홀한 모습을 예찬한 한편의 시라 할 것이다. 황홀이란 무엇인가? 왕필은 말한다.

恍惚, 無形不繫之歎。

황홀이란 구체적 형체가 없고 한군데 얽매이는 것이 없는 모습에 대한 탄식이다.

孔德은 빔의 덕이다. "孔德之容, 惟道是從"이란 한마디 속에 德과 道의 관계가 드러나 있다. 道는 존재론적 묘사라고 한다면 德은 기능론적 묘사다. 德의 빔의 기능을 통하여서만 道는 드러난다. 또 孔德의 모습은 道를 따를 뿐이다.

황홀한 가운데, 象, 物, 精, 信이 있다. 象은 심볼릭 이미지요, 物은 구체적 사태요, 精은 생명의 모체요, 信은 신험될 수 있는 진실이다. 이는 모두 도가 황홀한 가운데서도 진실된 것임을 말한 것이다.

象	symbolic image
物	concrete thing
精	life essence
信	verifiable fact

"衆甫"에 대해 왕필은 다음과 같은 주를 달아 놓았다.

衆甫, 物之始也。 以無名說萬物始也。

중보라는 것은 만물의 시작이다. 노자는 원래 무명으로써 만
물의 시작을 말했던 것이다.

왕필은 "衆甫"를 "만물의 태초"로 보고 있다. 만물의 태초
는 여호와 하나님이 아니요, 노자에게 있어서는 無名이다. 만
물이 無로부터 시작된 것임을 말한 것이다. 그것은 무로부터의
창조(*creatio ex nihilo*)가 아닌 무로부터의 생성이다. 무로부

터의 생성은 無로부터 有로의 전환이다. 甫는 始라는 뜻도 있지만 父의 뜻도 있다. 父는 또 始를 의미한다. 帛書는 "衆甫"를 "衆父"로 표현하고 있다. 그것은 "食母"와 대비를 이루지만 결국 같은 道의 모습들이다. 우리가 어떻게 衆甫의 모습을 알 수 있는가? 그것은 지금 항상 여기 살아있는 道의 공능을 통해 알 수 있는 것이다. "以此!" 이 한마디처럼 강렬한 동양인들의 현실주의적 표현은 없다. 지금 여기! 이것으로 안다! 모든 궁극자에 대한 우리의 앎은 지금 여기 이것으로 이루어지는 것이다.

二十二章

曲則全, 枉則直,
곡즉전, 왕즉직,

窪則盈, 敝則新,
와즉영, 폐즉신,

少則得, 多則惑。
소즉득, 다즉혹。

是以聖人抱一, 爲天下式。
시이성인포일, 위천하식。

不自見故明,
불자현고명,

不自是故彰,
불자시고창,

不自伐故有功,
불자벌고유공,

不自矜故長。
불자긍고장。

夫唯不爭, 故天下莫能與之爭。
부유부쟁, 고천하막능여지쟁。

古之所謂曲則全者,
고지소위곡즉전자,

豈虛言哉!
기허언재!

誠全而歸之。
성전이귀지。

스물두째 가름

꼬부라지면 온전하여지고,

구부리면 펴진다.

파이면 고이고,

낡으면 새로와 진다.

적으면 얻고,

많으면 미혹하다.

그러하므로

성인은 **하나**를 껴안고 천하의 모범이 된다.

스스로 드러내지 않으니 밝고,

스스로 옳다하지 않으니 빛난다.

스스로 뽐내지 않으니 공이 있고,

스스로 자만치 않으니 으뜸이 된다.

대저 오로지 다투지 아니하니,

하늘 아래 그와 다툴 자가 없다.

옛말에

꼬부라지면 온전하여진다 한 말이

어찌 헛말일 수 있으랴 !

진실로 온전함을 추구하는 모든 것은

도로 돌아갈 지어다.

說老 이 장의 끝부분에 "古之所謂曲則全者"라는 말이 있다. 즉 "曲則全"이라고 하는 것은 老子의 창안이 아니라, 노자 이 전부터 고대 중국인들의 속담이나 생활의 지혜로서 내려오던 관용구였다는 것을 알 수 있다. 즉 이 장은 예로부터 내려오는 "曲則全"이라는 한 마디를 노자가 자기 나름대로 재해석하고 부연설명한 것이다.

그렇다면 "曲則全"이란 무엇인가? 曲이란 꼬부리는 것이다. 옹크리는 것이다. 曲이란 온전한 것에 비하면 과히 기분좋은 것이 아니다. 떳떳하게 펴져있고, 자기 모습대로 펼친 것이 아니다. 曲이란 全에 비하면 분명 손해보는 것이다. 그러나 손해볼 줄 아는 사람에게만 온전함은 찾아오는 것이다. 비어있는 자에게만 참(fullness)이란 찾아오는 것이다. "曲則全"에 대해 왕필은 다음과 같은 주를 달고 있다.

不自見其明, 則全也。

스스로 그 밝음을 드러내지 않으니 곧 온전하여 지는 것이다.

왕필은 "曲則全"을 물리적 사태로 파악하는 것이 아니다. 曲은 자기의 밝음을 스스로 드러내지 않는 상태, 즉 어두운 상태이다. 아마도 억울하게 죄인으로 몰렸다해도 자기의 옳음을 스스로 주장하지 않는 자일 수도 있다. 그러나 이러한 曲의 단계가 있기 때문에만 곧 全의 단계가 뒤따르게 마련이다. 全하려고 하면 우선 曲할 줄도 알아야 한다. 곧아지려면(直) 우선 구부릴 줄을 알아야 하는 것(枉)이다.

이러한 曲則全의 사상은 후대에 兵家의 전술전략의 사상으로 발전하였지만, 최소한 노자에게 있어서는 자기를 굽힐 줄 알고, 드러내지 않고, 뽐내지 않고, 자고치 아니하는 자기부정정신, 자기희생정신의 한 원형으로서 제시된 것이다. 不自見, 不自是, 不自伐, 不自矜의 미덕은 결국 노자에게 있어서는 不爭의 미덕과 상통하는 것이다. 오로지 다투지 아니하니 天下에 그 아무도 그와 다툴 건덕지가 없는 것이다. 결국 이것은 曲과 全의 이원적 대립을 초월한 거시적 인격을 말하는 것이다. 인간은 一曲적 가치에 매달려 있을 때 爭을 하게되는 것이다. 결국 온전함을 추구하는 모든 것은 道로 돌아가게 마련인 것이다.

二十三章

希言自然。
희언자연。

故飄風不終朝,
고표풍부종조,

驟雨不終日。
취우부종일。

孰爲此者? 天地!
숙위차자? 천지!

天地尚不能久,
천지상불능구,

而況於人乎!
이황어인호!

故從事於道者:
고종사어도자:

道者同於道,
도자동어도,

德者同於德,
덕자동어덕,

失者同於失。
실자동어실。

스물셋째 가름

말이 없는 것이야말로

스스로 그러한 것이다.

그러므로

회오리 바람은 아침을 마칠 수 없고,

소나기는 하루를 마칠 수 없다.

누가 이렇게 만들고 있는가?

하늘과 땅이다 !

하늘과 땅도 이렇게 오래 갈 수 없거늘,

하물며 사람에서랴 !

그러므로

도를 따라 섬기는 자는 알아야 할 것이다:

도를 구하는 자는 도와 같아지고

얻음을 구하는 자는 얻음과 같아지고

잃음을 구하는 자는 잃음과 같아진다.

同於道者, 道亦樂得之;
동어도자, 도역락득지;

同於德者, 德亦樂得之;
동어덕자, 덕역락득지;

同於失者, 失亦樂得之。
동어실자, 실역락득지。

信不足焉, 有不信焉。
신부족언, 유불신언。

도와 같아지는 자는

도 또한 그를 즐거이 얻으리.

얻음과 같아지는 자는

얻음 또한 그를 즐거이 얻으리.

잃음과 같아지는 자는

잃음 또한 그를 즐거이 얻으리.

믿음이 부족한 곳에는

반드시 불신이 있게 마련이니.

說老 이 장은 竹簡에는 나타나지 않는다. 그런데 帛書에는 아주 명료하게 나타난다. 이 장은 장구의 해석에 있어서 심히 불편한 요소들이 많았다. 그런데 帛書의 출현은 이러한 불편한 요소들을 말끔히 제거시켜 주었다. 이 장에 있어서는 분명 王本이 잘못 과대포장된 것으로 보인다.

1. 希言自然 :

"自然"이라는 표현이 『노자』에 나온 용례는 전부 다섯번이다.

17장	功成事遂, 百姓皆謂我自然。
23장	希言自然。
25장	道法自然。
51장	夫莫之命而常自然。
64장	以輔萬物之自然, 而不敢爲。

이 어느 경우에도 "自然"을 서양언어의 명사적 개념(Nature)으로 번역할 방법은 없다. 그것은 철저하게 모두 "스스로 그러하다"(It is so of itself.)는 기술에 불과하다. 그것을 명사화하여 주어나 목적어로 삼을 수가 없는 것이다.

17장	공이 이루어지고 일이 다 되어도 백성들은 모두 한결같이 일컬어 나 **스스로 그러하다** 하는도다.
23장	말이 없는 것이 **스스로 그러하다**.
25장	도는 **스스로 그러함**을 본받는다.
51장	대저 명령하지 않아도 항상 **스스로 그러하다**.
64장	이리하여 만물의 **스스로 그러함**을 돕고, 감히 무엇을 한다고 하지 않는다.

노자에게서는 예외가 있을 수 없는 한결같은 용례인 것이다. "希言自然!" 어리석은 대부분의 동·서의 역자들이, 우리나라의 졸렬한 한학자들이 모두 이를 번역하여 이른다: "자연은 말이 드물다!"(Nature is silent.) 그 얼마나 옹졸한 번역인가?

여기서 "希"라 함은 "드물다"는 뜻이 아니라 부정사적 의미인 것이다. "大音希聲"(41장)이라 함은 거대한 음은 소리가 드물다는 이야기가 아니라, 거대한 음(大音)은 소리가 없다는 뜻인 것이다. 그것은 14장에서 말한바 대로 "聽之不聞, 名曰希。" 들어도 들리지 않는 것이다. 드물게 들리는 것이 아니라 들리지 않는 것이다.

자연을 명사화 해버리면, "말이 없는 것이 그린벨트이다"라는 얘기 밖에는 되지 않는다. 그린벨트는 과연 말이 없는가? "自然"은 어떠한 경우에도 어떤 특정한 명사적 대상을 지칭한 것이 아닌 것이다.

希言自然! 그것은 곧 "말이 없는 것은 스스로 그러한 것이다" 함을 이른 것이다. 인간의 말(言)이란 스스로 그러하지 않은 데서 생겨나는 것이다. 그것은 有爲의 所産인 것이다. 有爲는 우리에게서 虛를 앗아간다. 無爲는 우리에게 虛를 극대화시킨다. 유위적 언어의 세계는 우리에게서 허를 앗아가는 문명의 장난이다. 그래서 "故"로 연결되는 다음의 내용을 보라! 그 논리적 맥락의 필연성을 여기서 찾아야 할 것이다.

2. 故飄風不終朝, 驟雨不終日。孰爲此者? 天地! 天地尚不能久, 而況於人乎! :

"飄風"(표풍)이란 "거센 바람"이요, "갑자기 일어난 광풍"이다.(『詩毛傳』: 「飄風, 暴起之風。」) 그것은 왕필의 주대로 포악하고 질주하는 것(暴疾)이다.

飄風不終朝,
驟雨不終日。

거센 바람 한 아침 마칠 수 없고,
드센 비 한 나절 마칠 수 없세라.

이것은 아마도 『노자』 전 텍스트에서 가장 잘 인용되는 아름다운 싯구절 한 줄일 것이다. 우리의 인생을 생각할 때, 성날 때나, 화날 때나, 질주할 때나, 급하게 서둘 때나, 분노에 부르르 주먹을 움켜질 때나, 억울함에 하늘이 짓누르는 것을 느낄 때, 바로 이 싯구절 한마디가 얼마나 많은 우리의 영혼을 위로할 것인가? 이것은 自然현상이요, 자인(Sein)의 세계다. 그러나 그 자인이 곧 우리에게는 졸렌(Sollen)이다. 소나기는 한 나절을 마칠 수 없다! 광풍은 한 아침을 마칠 길 없다! 우리의 인생은 보슬비처럼, 산들바람처럼 살 때만이 長久할 수 있는 것이요, 그 虛를 보지할 수 있는 것이다. 소나기와 광풍은 곧 우리 삶의 虛의 부정이다. 그것은 天地의 정칙이다. 天地가 만든 광풍(飄風)

이나 취우(驟雨)도 한나절을 갈 수 없는데, 어찌 우리 이 나약한 인생의 광풍이나 취우가 한 나절 이상을 갈까보냐? "孰爲此者? 天地！"의 내용을 논리적으로 정확하게 번역하고 있는 中・西의 번역이 드물다. 그러나 텍스트의 문제는 이 다음부터 시작된다.

3. 故從事於道者, 道者同於道, 德者同於德, 失者同於失：
여기 "從事於道者, 道者同於道"에서 "道者"가 중복되어 있다. 그래서 나는 왕필 텍스트를 있는 그대로 존중하는 뜻에서 "從事於道者"에서 일단 끊고, 그 다음의 道者, 德者, 失者를 從事於道者의 내용을 부연하는 세 구절로 풀어 해석하였다. 그런데 이 부분의 마왕퇴 백서는 다음과 같이 되어 있다.

故從事而道者, 同於道。
德者, 同於德。
失者, 同於失。

나는 이 구절을 생각할 때 『성경』과 더불어 근 500년 동안 기독교세계를 지배해온 독일신비주의(German Mysticism)의 걸작, 토마스 아 켐피스(Thomas a Kempis, 1379~1471)의 『예수를 모방하여』(*De imitatione Christi, The Imitation of Christ*)를 머리에 떠올리지 않을 수 없다. 여기서 말하는 모방(Imitation)이란 대상화되는 어떤 실체에 대한 "흉내"가 아니다. 모방이란 곧 융합이요, 실천이다. 우리 삶은 진리의 빛(Light of Truth)과 은총의 빛(Light of Grace)으로 되어있다. 이 양자는 분리될 수가 없다. 진리의 빛은 은총의 빛을 통해 완성된다. 그런데 은총의 빛은 막연한 계시가 아니다. 그것은 곧 예수의 십자가의 삶을 내 삶속에서 실천하고 구현하는 것이다. 예수가 나에게서 대상화될 수 없다. 내가 예수를 믿는다는 것은, 곧 내가 예수의 삶을 실천하는 것이요, 그것은 곧 내가 예수와 같아지는 것이다. 이 "같아짐"이 곧 이장에서 말하는 "同"이다. 道를 모방하는 자는 道와 같아지고, 德을 모방하는 자는 德과 같아지고, 失을 모방하는 자는 失과 같아지는 것이다. 王弼의 텍스트는 道와 德과 失의 三者를 동등하게 竝列시킨다.

| 道 | 德 | 失 |

그러나 이것은 그릇된 이해이다. 德과 失은 道에 대하여 부차적

인 것이다. 즉 그 근원적인 구조가 병렬(竝列) 구조가 아니라 중층(重層) 구조인 것이다.

道	
德	失

여기 德의 의미가 道에 대하여 失과 상대되는 것이라는 이 중요한 사실을 생각할 필요가 있다. 그 德은 道의 得이다. 그것은 道의 失에 대하여 상대적인 개념인 것이다.

德 = 得 ↔ 失

帛書의 甲・乙의 의미 맥락은 아주 명료하다.

道에 종사하는 자는 道에 같아지고, 德에 종사하는 자는 德에 같아지고, 失에 종사하는 자는 失에 같아진다는 것이다. 다시 말해서 제일 앞의 "從事而(於)"가 德者의 문장과, 失者의 문장에다 같이 걸리고 있는 것이다.

4. 同於道者, 道亦樂得之; 同於德者, 德亦樂得之; 同於失者, 失亦樂得之。:

이 문장에서 바로 王本은 道, 德, 失의 三者를 竝列 구조로 간주하고 있음이 드러난다. 실상 앞 단에서 말한 三者의 구조를 여기서 진부하게 반복하고 있을 뿐인 것이다. 그러나 帛書 甲·乙本 모두 명료하게 다른 해석을 내리고 있다.

帛書甲·乙	同於德者, 道亦德之。 同於失者, 道亦失之。

德에 같아질려고 하는 자, 즉 德을 모방하는 자는 道 또한 그를 德하게 만들 것이요, 失에 같아질려고 하는 자, 즉 失을 모방하는 자는 道 또한 그를 失하게 만들 것이다. 德은 곧 得이다. 그러므로 그 의미내용을 쉽게 풀면 다음과 같이 명료해진다.

도를 얻는 자는 도 또한 그를 얻을 것이요,
도를 잃는 자는 도 또한 그를 잃을 것이다.

다시 말해서 이 논의에서 중요한 것은 王本에서는 道↔道, 德↔德, 失↔失이 병렬되어 있는데 반해서 帛書本에는 德과 失의 주체가 그 상위개념의 道 하나라는 것이다.

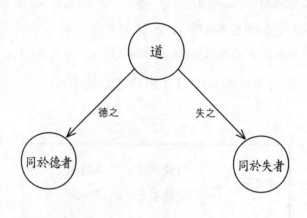

이러한 帛書本의 이해야말로 노자의 道와 德의 사상을 명료하게 만드는 위대한 先이해 구조(Pre-Understanding)를 밝혀주는 것이며, 그 동안 이 장에 얽혀있던 모든 고증가들의 잡설을 일격에 다 쓸어버리는 것이다. 참으로『노자』이해의 유쾌한 한 도약이라 아니할 수 없는 것이다. 그리고 이 부분에 관한 한 王本 텍스트는 별 신빙성이 없다. 帛書本에 준하여 이해하는 것이 타당하다 할 것이다.

5. 信不足焉, 有不信焉 :

이 구절이 帛書本에는 없다. 이것은 매우 중요한 사실이다. 다시 말해서 17장에 있어야 할 것이 여기 또 다시 착간으로 등장한 것이다. 이 구절은 여기 있어서는 아니되는 것이다. 이것은 곧 "信不足焉, 有不信焉"에 대한 해석이 진부한 일반 맥락에서가 아니라 17장의 고유한 맥락속에서 이루어져야 한다는 것을 강화시켜주는 사태를 의미하는 것이다.

二十四章

企者不立, 跨者不行。
기자불립, 과자불행。

自見者不明,
자현자불명,

自是者不彰,
자시자불창,

自伐者無功,
자벌자무공,

自矜者不長。
자긍자부장。

其在道也, 曰餘食贅行。
기재도야, 왈여식췌행。

物或惡之, 故有道者不處。
물혹오지, 고유도자불처。

스물넷째 가름

발꿈치를 들고 서있는 자는

오래 서 있을 수 없고,

가랭이를 벌리고 걷는 자는

오래 걸을 수 없다.

스스로 드러내는 자는 밝지 아니하고,

스스로 옳다하는 자는 빛나지 아니하고,

스스로 뽐내는 자는 공이 없고,

스스로 자만하는 자는 으뜸이 될 수 없다.

이것들은 도에 있어서는

찌꺼기 음식이요 군더더기 행동이라 한다.

만물은 이런 것을 혐오한다.

그러므로 도를 체득한 자는 처하지 아니하리니.

說老 企者不立 ! 참으로 유명한 노자의 한 구절이다. 나는 어려서부터 한학에 능하신 외할아버지로부터 이 얘기를 들었다. 우리네 인생속엔 이런 노자의 이야기들이 삶속에 절로 그러하게 사무쳐 있는 것이다. 그 얼마나 간단한 이야기로 그 많은 이야기를 하고 있는가? 발꿈치를 들어올리는 것은 유위다 ! 발꿈치가 편안하게 땅에 닿아있는 것은 결국 스스로 그러한 자연의 추세다.

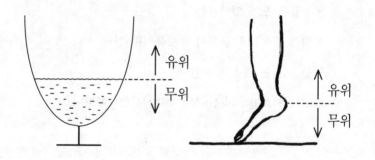

企者란 무엇인가? 발꿈치를 들어 올리는 사람, 타인위로 군림하고 싶어 애쓰는 사람, 뭔가 남보다 높아지고 싶고, 남보다 돋보이고 싶고, 남보다 더 잘 보이고 싶어서, 발꿈치를 들어 올리

는 사람! 이 사람들은 결코 발꿈치를 들어올린 상태를 지속할 수가 없다. 그것은 바로 폭풍이 한 아침을 불지 못하고 소낙비가 한 나절을 내리지 못하는 것과 같다. 스스로 그러하게 입다물고 침묵하느니만(希言) 같지 못한 것이다.

企者와 같은 이미지의 반복으로 "跨者"가 나온다. 跨者(과자)는 옆으로 가랭이를 벌리는 것도 되겠지만, 앞뒤로 가랭이를 쫙쫙 벌리면서 활보(闊步)하는 것을 말할 수도 있다. 그것 또한 뽐내며 과시하는 것이다. 企者와 跨者의 이미지는 그 다음에 나오는 自見者, 自是者, 自伐者, 自矜者의 추상적 이미지를 구체적으로 집약한 것이다. 企者는 수직적 이미지라면 跨者는 수평적 이미지라 말할 수 있다. 企者는 理想이 너무 고원하고 跨者는 野心이 너무 크다고나 할까?

그런데 이 장은 竹簡에는 안나타나지만 帛書에는 孔德之容章 다음, 曲則全章 앞에 王本과 약간 순서를 달리해서 나타나고 있다. 그런데 재미있는 텍스트의 한 문제가 있다. 企者不立이 炊者不立으로 되어 있고, 跨者不行이 없는 것이다.

| 王本 | 企者不立, 跨者不行。 |
| 帛書 甲·乙 | 炊者不立。 |

"炊者不立"은 무슨 뜻인가? 그것은 "企者不立"보다 오히려 추상적이고, 다음에 나오는 四句를 포괄적으로 담는 내용이다. 企者不立과 같은 메타포가 아니다.

炊者不立。

허풍을 잘 떠는 놈은
땅에 발을 딛고 서 있는 놈이 아니다.

아마도 내가 생각키엔 "炊者不立"이 보다 오리지날한 텍스트의 모습이었을 것이다. 그런데 후대에 炊者不立을 보다 재미있고 구체적으로 표현하기 위해서 "企者不立"으로 말장난(일종의 편, pun)을 했을 것이다. 그리고 "企者不立"의 물체적 이미지를 강화하기 위해서 對句로서 "跨者不行"을 첨가했을 것이다. 다시 말해서 텍스트의 변천에 있어서 꼭 구체적인 것이 추상적인 것보다 앞서는 것이라는 우리의 통념이 깨지는 것이다. 오히려 구체적인 메타포가 추상적인 언술보다 더 고도의 지적 유희일 수가 있는 것이다. 企者不立은 참으로 양보할 수 없는 명구인 것이다.

여태까지의 고증가들이 "餘食贅行"의 贅行을 餘食과 의미를 병치시키기 위해 모두 "贅形"으로 해석했다. 贅形이란 餘食(찌꺼기 음식)에 대해 "군더더기 살," 더러운 종양이나 사마귀류가 될 것이다. 그런데 帛書는 그것이 분명히 "贅行"임을 보여 준다. 텍스트는 있는 그대로 해석하는 것이 상책이다. 가벼운 장난들을 해서는 아니된다. "贅行"은 문자 그대로 "군더더기 행동"인 것이다. 다시 말해서 自見(스스로 드러내고), 自是(스스로 옳다하고), 自伐(스스로 뽐내고), 自矜(스스로 으시대다)하는 행위가 모두 贅行(군더더기 행동)인 것이다. 이는 모두 爭의 세계요, 不爭의 無爲가 아니다.

이러한 餘食贅行은 만물이 꺼려하는 것이다. 그것은 만물에게 암을 유발시키는 사태인 것이다. 우리는 암(癌)적으로 살아가기 때문에 암에 걸리게 되는 것이다. 암은 암의 약이 해결해야 할 문제가 아니다. 그것은 바로 우리 실존의 책임이다. 自見, 自是, 自伐, 自矜하고 경쟁사회에서 지나치게 企跨하려 하면 결국 암에 걸려 죽게 되는 것이다. 有道者들이 그러한 암에 처할 리가 없는 것이다. 有道者不處 !

도올 김용옥이 말하는
老子와 21세기(2)

1999년 12월 20일 초판발행
2001년 1월 11일 1판 8쇄

지은이 도 올 김 용 옥
펴낸이 남 호 섭
펴낸곳 통 나 무

서울 종로구 동숭동 199-27
전화 : (02) 744 − 7992
팩스 : (02) 762 − 8520
출판등록 1989. 11. 3. 제1-970호

ⓒ Young-Oak Kim, 1999   값 6,500원

ISBN 89-8264-092-4 04150
ISBN 89-8264-090-8 (세 트)